The
best preparation for

Writing

Level 1

The best preparation for **Writing** Level 1

지은이 홍미란
펴낸이 안용백
펴낸곳 (주)넥서스

출판신고 1992년 4월 3일 제311-2002-2호
121-840 서울시 마포구 서교동 394-2
Tel (02)330-5500 Fax (02)330-5555
ISBN 978-89-6000-098-8 54740

www.nexusEDU.kr
NEXUS Edu는 (주)넥서스의 초·중·고 학습물 전문 브랜드입니다.

The
best preparation for

Writing
Miran Hong

Level 1

NEXUS Edu

{ 머리말 }

왜 영작인가?

영작은 시대의 대세다.

이제 영어공부는 읽고 들어서 이해하는 것을 넘어서, 말하고 쓰기를 통해 자신의 의사를 전달하는 능력까지 요구하고 있습니다. 이러한 추세는 영작이 영어공부의 사각지대로 소외되어 온 우리나라의 현실에서 더욱 뼈아프게 받아들여지고 있습니다. TOEIC, TOEFL과 여타 시험들에서 영어로 말하고 쓰기를 강화하는 것은 자연스러운 현상이며 앞으로 이러한 추세는 더 심화될 것입니다.

영작은 재미있고 효과적인 영어학습 방법이다.

우리말로 글을 쓰는 것도 쉽지 않은데, 영어로 글쓰기란 실로 큰 도전이 아닐 수 없습니다. 그러나 영작은 그렇게 어렵거나 골치 아프기만 한 것이 아닙니다. 우리는 남의 말을 듣거나 책을 읽을 때보다 자신을 직접 표현할 때 더 큰 만족을 느낍니다. 우리는 영작을 통해 영어공부의 즐거움과 보람을 가장 많이 느낄 수 있습니다. 또한 영작은 가장 고도의 영어학습 방법입니다. 내가 직접 써본 문장은 잘 잊혀지지 않습니다. 영작이 시험을 보기 위해 필요할 뿐 아니라 효과적인 영어공부의 수단도 된다는 말이지요.

이 책은 기초 영작문 책이다.

이 책을 통해 여러분은 기초적인 영어문장 만들기를 훈련받게 됩니다. 1권에서는 단문을, 2권에서는 문장이 연결되어 확대된 중문, 복문과 여러 구문들, 그리고 문장의 변형 등을 다루게 됩니다. 이러한 단계별 학습과정을 통해 하나하나 자연스럽고 정확하게 쓰면서 단락 훈련으로 넘어가게 됩니다.

이 책은 문법을 기초로 한 영작문 책이다.

이 책에서 다루는 문법은 시시콜콜한 공식이나 규칙이 아닌 영어의 기본 구조, 즉 뼈대를 가리킵니다. 그 튼튼한 뼈대 위에 어휘와 표현을 확대해가면 흔들림 없이 무한한 영작의 세계로 한 발 한 발 나아갈 수 있습니다.

이 책은 다양한 주제와 목적의 글쓰기를 지향한다.

문법이란 하나의 틀일 뿐이지만, 문법을 통해 담아야 할 내용은 너무나 많습니다. 이 책은 우리가 쓰게 될 다양한 주제와 목적의 글들을 소개하고 미리 써볼 수 있게 여러 가지 장치를 제공하고 있습니다.

필자는 어린 시절 처음 영어를 접하면서 영작의 즐거움을 알았고, 그것이 필자의 영어 인생의 출발점이 되었습니다. 책을 쓰기 시작하면서도 늘 좋은 영작문 책을 쓰고 싶다는, 써야 된다는 바람과 다짐을 가지고 있었습니다. 그것은 시대의 요구이기도 했습니다. 이제 외국에서 만들어진 책이 아닌 우리의 책으로 제대로 된 영어를 배우는 학생들을 많이 만나고 싶습니다. 모쪼록 이 책이 영작에 처음 발걸음을 내딛는 많은 학습자들에게 제대로 된 안내서가 될 수 있기를 간절히 기대해 봅니다.

홍미란

{ 이 책의 특징과 목적 }

1. Grammar-Based Writing

문법을 기초로 한 체계적인 영어 글쓰기

영어문장의 기본 구조를 익히고 그것을 활용한 체계적인 글쓰기를 훈련함으로써 영작문의 기초를 튼튼히 한다.

2. Step by Step Approach

단계별 접근방식을 통한 자연스러운 영어 글쓰기

읽고, 따라 쓰고, 바꿔 쓰는 단계별 과정을 통해 자연스럽게 '홀로 쓰기'에 도달함으로써 두려움이나 거부감
없이 영작의 세계를 확장해 간다.

3. Writing on Various Subjects

다양한 주제의 영어 글쓰기

다양한 주제의 영어문장을 써봄으로써 흥미있게 영어 글쓰기의 세계를 체험하며, 어휘와 관련 표현을
익힘으로써 TOEFL이나 TOEIC 등 Academic Writing에 대비한다.

4. Writing with Multiple Purposes

다양한 목적의 영어 글쓰기

다양한 목적을 가진 영어 글쓰기를 통해 '문장 만들기'에서 '단락 만들기'로 자연스럽게 발전해 간다.

{ 이 책의 구성 }

들어가기 전에

본격적인 영작 학습에 들어가기에 앞서 영어의 기본 규칙과 문장 구조에 대한 이해를 점검한다.

영작의 기본 약속 I
대문자와 구두점의 사용 규칙
영작의 기본 약속 II
영어문장의 특징들
문장의 구조
영어문장을 구성하는 기본 요소와 보조 요소, 그리고 영어의 기본 5문형

본문

이 책의 목적은 초·중급 실력을 가진 학습자들에게 탄탄한 영작의 기초를 만들어주는 데 있다. 영어문장의 기본 원리를 익히고 그것을 활용해 다양한 표현을 구사하도록 훈련함으로써 향후 TOEFL이나 TOEIC 등 Academic Writing까지 나아갈 수 있는 기초를 다지게 하는 것이다.

I. Writing with Grammar

영작에 꼭 필요하지만 틀리기 쉬운 문법 포인트를 중심으로 그 단원에서 배울 문법사항을 정리하고, 문제를 통해 이해를 확인한다.

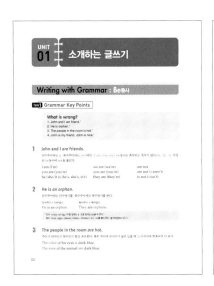

Task 1
Grammar Key Points
1권은 동사부터 명사, 형용사, 부사 등 품사와 단문을 다룬다. 2권은 중문과 복문 그리고 여러 형태의 문장 변형과 활용까지를 다룬다.

Task 2
Composition
각 단원에서 다룬 문법사항을 중심으로 다양한 문장들을 써보는 연습을 한다.

II. Writing Tasks

각 단원은 동시에 각각 다른 목적을 가진 여러 유형의 글쓰기를 다루고 있다. 학습자는 개별 문장 쓰기에서 자연스럽게 단락 쓰기로 이어질 수 있게 훈련받게 된다.

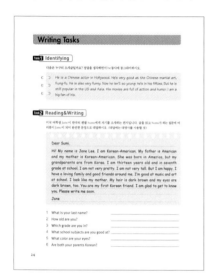

Task 1
Identifying
앞에서 배운 문법사항들이 문장 속에서 어떻게 쓰이고 있는지 Model Paragraph(예시 단락)를 읽고 그 안에서 찾아본다.

Task 2
Reading & Writing
단락을 읽고 질문에 대한 답을 쓴다. 답은 작문이 아니라 지문 속에서 찾아 옮겨쓰는 형태이다.

Task 3
Guided Writing
옮겨쓰기에서 나아가 주어진 표현들을 조합해 문장을 만들어본다.

Task 4
Editing
잘못된 문장을 찾아 고치는 연습을 한다.

Task 5
Sentence Writing
주어진 표현을 이용해서 스스로 문장을 써본다. 각각의 문장을 연결하면 하나의 단락이 된다.

III. Extra Writing Practice

두 단원마다 앞서 배운 내용을 복습하는 영작연습 코너다. 두 단원을 합쳐서 활용해 보고, Academic Writing을 미리 연습해볼 수 있도록 다양하고 활용도 높은 주제를 다루고 있다.

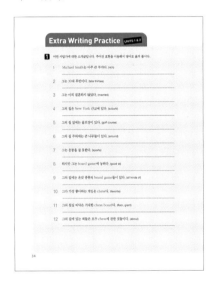

Task 6
On Your Own

지시된 문장을 쓰는 데서 나아가 자기 자신에 대한 주관적인 글쓰기를 해보는 코너다. 문장에 쓰일 수 있는 다양한 어휘와 표현들이 주어지므로 어휘와 표현 학습도 병행된다.

Task 7
Paragraph Writing

〈On Your Own〉을 응용해서 자유롭게 단락 쓰기를 연습해 본다.

Bank

글쓰기에 직접 활용할 수 있는 어휘와 표현들을 정리했다.

IV. Appendix

불규칙동사 변화표 및 각 품사별로 틀리기 쉬운 단어들을 정리했다.

{ Contents }

들어가기 전에

영작의 기본 약속 Ⅰ

1 대문자

다음의 경우에는 대문자를 꼭 써야 한다.

▶ 문장의 시작글자

This is my son. (this is... —✕)
Do you know him? (do you... —✕)

▶ 고유명사의 시작글자

Mary, May, Sunday, Korea, ...

▶ 약자

UN, USA, IMF, WHO, ...

▶ 호칭 등 명사 앞에 붙는 약자
약자 뒤에는 원칙적으로 마침표(.)를 찍지만 생략되는 경우도 많다.

Mr., Dr., Mt. , St., ...

▶ 대명사 I(나)

Can I help you? (Can i help you? —✕)

2 구두점

▶ 평서문의 끝은 반드시 마침표(.)로 표시해 준다.

It will be fine tomorrow (✕)

▶ 두 개 이상의 문장, 단어, 구절이 이어질 때 쉼표(,)를 사용할 수 있다.

It will be fine tomorrow, and we will go on a picnic.

▶ 의문문의 끝에는 반드시 의문부호(?)를 쓴다.

Are you okay?

▶ 감탄문에는 감탄부호(!)를 쓴다.

How nice of you!

▶ 어포스트로피('): 's(~의)라는 보통명사의 소유격과 축약꼴에 쓴다.

's(is), 'm(am), 're(are), don't(do not)

▶ 기타: 큰따옴표(" "), 작은따옴표(' '), 콜론(:), 세미콜론(;)

Exercise

다음 문장에서 틀린 곳을 찾아 바르게 고치시오.

1. I saw john at the mall yesterday.
2. he was with his mother.
3. They were shopping for his dog birthday.
4. We had a short talk
5. "What's your dog name?" i asked. (2곳)
6. "Its Big Boy," he said.
7. "How old is he" I asked.
8. He said, "he is one on friday." (2곳)
9. "Tell him happy birthday for me." I said.
10. He said, "thank you." and we parted. (2곳)

영작의 기본 약속 Ⅱ

1 **모든 문장은 주어와 동사가 있다.**

주어나 동사가 없는 문장은 완전한 문장이 아니다.

Exercise 1

완전한 문장이면 빈칸에 ○표 한 다음 구두점과 대문자를 사용하여 완전한 형태로 만들고,
완전한 문장이 아니면 빈칸에 ×표 하시오.

1. _____ cold today
2. _____ today cold
3. _____ today is cold
4. _____ it is cold today
5. _____ is cold today
6. _____ is today cold
7. _____ how cold is
8. _____ how cold is it

2 **영어의 명사는 단수와 복수를 구분해 준다.**

단수명사 앞에는 a를 붙이고 복수명사 뒤에는 –(e)s라는 복수어미를 붙인다. 단, 발음상 모음
으로 시작되는 단수명사 앞에서는 a가 아닌 an을 쓴다.

Exercise 2

다음 문장에서 a(n), 또는 복수형 어미 –(e)s가 필요한 곳이 있으면 써 넣으시오.

1. This is chair.
2. This is old chair.
3. These are old chair.
4. It has three leg.
5. There is big crack on the back.
6. There are many scratch on the seat.
7. I have hour to shop. Let's go.

3   한 번 나온 명사는 뒤에서 반드시 대명사로 바꿔 준다.

Exercise 3

빈칸에 알맞은 인칭대명사를 써 넣으시오.

1. Jane and I are friends. _____ are classmates, too.
2. This is her house. _____ is next to my house.
3. Her parents are teachers. _____ are nice people.
4. She has a little brother. _____ is very cute.
5. Are you and she in the same class? Do _____ know each other?

4   의문문은 동사가 주어 앞으로 나간다.

Exercise 4

다음 문장들을 올바른 의문문이 되도록 고치시오.

1. You have a pet?   → _____
2. It is a dog?   → _____
3. How long you have had him? → _____
4. When you got him?   → _____
5. There is a problem with him? → _____
6. What he likes to eat?   → _____

문장의 구조

문장은 단어들이 일정한 규칙에 따라 배열되어 만들어진다. 영어 문장은 언제나 주어 바로 다음에 동사가 온다. (우리말은 동사가 문장 끝에 온다.) 이 동사가 어떤 동사냐에 따라 뒤에 오는 단어가 보어가 되기도 하고 목적어가 되기도 한다.

1 문장의 기본 요소

문장의 구성에 필수적인 주어, 동사, 목적어, 보어 네 가지를 가리킨다.

주어	동사	목적어	보어
John	has	a car.	
His car	is		new.
It	looks		expensive
He	keeps	his car	clean.

주어: 우리말로 '~은/는/이/가'가 붙는 말로 문장의 주인이다.

동사: 주어 바로 다음에 와서 주어를 서술한다.

목적어: 우리말로 '~을/를/에게'가 붙는 말로 동사 바로 다음에 온다. 목적어는 동사(행위)의 대상이다.

보어: 주어나 목적어를 보충해 주는 말로 주어/목적어의 상태, 명칭, 특징 등을 나타낸다.

Exercise 1

다음 문장에서 괄호 안에 주어진 요소를 찾아 동그라미하시오.

1. I jog in the park every day. (동사)
2. I take my dog along. (목적어)
3. The weather is nice today. (보어)
4. The park is beautiful. (주어)
5. There are not many people in the park. (주어)
6. I find my dog happy, too. (보어)

2 문장의 보조 요소

기본 요소를 보조해 주는 것들로 명사와 대명사를 수식하는 형용사와 동사, 형용사, 그리고 다른 부사를 수식하는 부사가 있다.

주어	동사	형용사	목적어	부사(구)
He	has	a new	car.	
He	bought		it	last month.
His car	runs			well.

형용사: 명사와 대명사를 수식하거나 서술한다. (무엇이〔누가〕'어떤지' 상태를 나타내는 말)

부사: 동사나 형용사, 그리고 다른 부사를 수식한다. ('언제, 어디서, 어떻게, 왜, 얼마나'에 해당하는 말) * 한 단어 이상일 때 '부사구'라고 부른다.

Exercise 2

다음 문장에서 괄호 안에 주어진 요소를 찾아 동그라미하시오.

1. Kevin walks every morning. (부사구)
2. He gets up early. (부사)
3. He likes to walk in fresh air. (형용사)
4. He never skips his exercise. (부사)
5. He is truly an early bird. (형용사)
6. Look! He's walking over there. (부사)

3 영어의 기본 문형

영어의 문장은 어떤 기본 요소들로 구성되느냐에 따라 5개의 문형으로 나뉠 수 있다. 이 문형을 공부하는 이유는 이를 알면 문장을 체계적으로 파악할 수 있게 되기 때문이다. (단, 문형을 결정할 때 수식어는 고려되지 않는다.)

1문형 주어+동사: 동사가 목적어나 보어를 필요로 하지 않는다. 뒤에 부사(구) 등 수식어가 올 수 있다.

주어	동사	부사(구)
He	lives	in New York.
He	works	hard.
His hard work	will pay off.	

2문형 주어+동사+보어: 동사가 보어를 필요로 한다. 이 보어는 주어의 상태나 특성 등 주어를 설명하는 말이다. 보어로는 명사나 형용사가 쓰인다.

주어	동사	보어
He	is	a doctor. (He=doctor)
	became	strong. (He→strong)
	looks	happy. (He→happy)

* He made a cake. (he≠cake, cake은 목적어)

3문형 주어+동사+목적어: 동사가 목적어('~을/를')를 필요로 한다. 목적어는 주어와 별개의 대상이다. 목적어로는 명사나 대명사가 쓰인다.

주어	동사	목적어
I	like	John. (I≠John)
John	has	a pet dog. (John≠pet dog)

4문형 주어＋동사＋간접목적어＋직접목적어: 동사 뒤에 '～에게(간접목적어)'와 '～을/를(직접목적어)' 두 개가 나란히 온다. 이때 간접목적어가 뒤로 가면 전치사를 붙여줘야 한다.

주어	동사	간접목적어	직접목적어
He	gave	me	a book. (me≠book)
The mother	read	her children	bedtime stories. (children≠stories)

* He gave the book to me.

5문형 주어＋동사＋목적어＋목적보어: 목적어의 보어가 필요한 경우. 목적보어는 목적어의 상태나 특성 등 목적어를 설명하는 말이다. 목적보어로는 명사나 형용사가 쓰인다.

주어	동사	목적어	목적보어
I	found	him	sick. (him(he)→sick)
We	call	our dog	Happy. (our dog→Happy)

Exercise 3

다음 문장에서 괄호 안에 주어진 구성요소를 찾아 동그라미하고 어떤 문형에 속하는지 써 넣으시오.

1. I had a dream last night. (목적어) _____

2. I was at a zoo. (부사구) _____

3. There were many animals in the zoo. (주어) _____

4. At first I was very happy. (보어) _____

5. But then I found all of the animals strange. (목적어) _____

6. An animal looked like a bear. (동사) _____

7. But it had eight legs. (목적어) _____

8. It came toward me. (동사) _____

9. I cried in terror. (부사구) _____

10. It made me wide awake. (보어) _____

소개하는 글쓰기

Writing with Grammar : Be동사

Task 1 **Grammar Key Points**

What is wrong?
1. John and I am friend.*
2. He is orphan.*
3. The people in the room is hot.*
4. John is my friend. John is nice.*

1 **John and I *are* friends.**

단수주어에는 is, 복수주어에는 are(예외: I am, you are). be동사는 축약되는 경우가 많다('m, 're, 's). 부정은 be동사에 not을 붙인다.

I am (I'm)	we are (we're)	am not
you are (you're)	you are (you're)	are not (=aren't)
he/she/it is (he's, she's, it's)	they are (they're)	is not (=isn't)

2 **He is *an orphan*.**

단수주어에는 단수명사를, 복수주어에는 복수명사를 쓴다.

단수주어 + 단수명사   복수주어 + 복수명사
He is an orphan.   They are orphans.

> * 단수: a boy, an egg (자음 앞에는 a, 모음 앞에는 an을 써 준다.)
>   복수: boys, eggs, classes, babies, children (-s나 -es를 붙여 준다. 불규칙변화도 있다.)

3 **The people in the room *are* hot.**

주어가 단수인지 복수인지 항상 유의한다. 특히 주어에 수식어가 달려 있을 때 그 수식어에 현혹되면 안 된다.

The color of his eyes is dark blue.
The eyes of the animal are dark blue.

4 **John is my friend. *He* is nice.**

두 번째 나오는 명사는 항상 대명사로 바꿔 준다.

ha and I → we   my name → it   my eyes → they

Task2 Composition

1 괄호 안의 표현과 be동사를 빈칸에 넣어 문장을 완성하시오.

1. My name _____ . (Sarah Jones)

2. I _____ . (from England)

3. My brother Brian _____ . (in fifth grade)

4. My parents _____ . (nice and friendly)

5. We _____ . (happy family)

2 이탤릭체로 쓰여진 단어를 인칭대명사로 바꾸어, 빈칸에 be동사와 함께 넣어 문장을 완성하시오. (괄호 안의 명사에 필요하면 a(n)나 복수형어미를 붙이시오.)

1. This is *Davis*. _____ (my best friend)

2. *Davis* is his first name. _____ (not his last name)

3. *Davis' mother* is my teacher. _____ (good neighbor, too)

4. *Davis and* I are friends. _____ (not cousin)

5. Davis, *you and Bill* look so much alike. _____ (like brother)

3 인칭대명사를 사용하여 뒷 문장을 부정문으로 만드시오. (가능하면 be동사를 축약꼴로 만들 것)

1. Juan and Carmen are from Mexico. _____ (not) from Brazil.

2. Juan's favorite sport is soccer. _____ (not) football.

3. Carmen is alone in the US. _____ (not) with her family.

4. Carmen's English is okay. _____ (not) so bad now.

5. Carmen and I are in the same class. _____ (not) very close though.

Writing Tasks

Task 1   Identifying

다음은 누구의 소개글일까요? 정답을 생각하면서 be동사에 동그라미하시오.

He is a Chinese actor in Hollywood. He's very good at the Chinese martial art, Kung-fu. He is also very funny. Now he isn't so young; he's in his fifties. But he is still popular in the US and Asia. His movies are full of action and humor. I am a big fan of his.

Task 2   Reading&Writing

미국 여학생 Jane이 한국의 펜팔 Sumi에게 자기를 소개하는 편지입니다. 글을 읽고 Sumi가 하는 질문에 여러분이 Jane이 되어 완전한 문장으로 대답하시오. (대답에는 대명사를 사용할 것)

Dear Sumi,

Hi! My name is Jane Lee. I am Korean-American. My father is American and my mother is Korean-American. She was born in America, but my grandparents are from Korea. I am thirteen years old and in seventh grade at school. I have a loving family and many good friends. I'm good at music and art at school. I look like my mother. My hair is dark brown and my eyes are dark brown, too. I am not very tall. You are my first Korean friend. I am glad to know you. Please write to me soon.

Jane

1   What is your last name?   _____

2   How old are you?   _____

3   Which grade are you in?   _____

4   What school subjects are you good at? _____

5   What color are your eyes?   _____

6   Are both your parents Korean?   _____

주어진 단어들을 조합해서 차례로 문장을 만들어 쓰시오. 단, 단수형이나 복수형은 문장에 맞게 만드시오. (단수명사 앞에 a(n), 복수명사에 -(e)s, 필요하면 전치사를 추가하시오.)

주어	동사	보어 / 부사
1. Bill Gates	be	insect
2. Beijing and Shanghai		school subject
3. New York		Chinese city
4. Bees		American businessman
5. Math and science		fruit
6. An orange		the United States
7. Tokyo		Japan

1 _____

2 _____

3 _____

4 _____

5 _____

6 _____

7 _____

선생님을 소개하는 글입니다. 각 문장에서 틀린 부분이 있으면 바르게 고치시오.

1.Mr. Jones are my teacher. **2.**He is no tall. He is not handsome. He's not very young. **3.**He small and looks homely. **4.**He is late thirties, and still single. But he's the most popular teacher in my school. **5.**He's a fun. He is nice. He is smart, too. **6.**He's a excellent teacher. **7.**His class never boring. **8.**They are full of humor. His teaching is clear and to the point. **9.**All my friends are his fan now. **10.**They are his class right now.

Sumi가 Jane에게 보내는 자기 소개입니다. 주어진 표현을 이용해서 영어로 옮겨 봅시다.

1 내 성은 Kim이야. (last name)

2 나는 중학교 1학년이야. (middle school, first year)

3 너와 나는 동갑이야. (the same age)

4 내 눈과 머리는 진한 갈색이야. (dark brown)

5 나는 키가 별로 크지 않아. (tall)

6 내가 가장 좋아하는 과목은 수학과 과학이야. (math, science)

7 나는 영어를 잘 못해. (good at)

8 하지만 난 학교생활이 즐거워. (happy)

9 내 가장 친한 친구는 미라야. (best friend)

10 그 애와 나는 같은 반은 아니야. (same class)

11 우리는 이웃이기도 해. (neighbor)

12 그 애의 집은 우리집 가까이에 있어. (near)

13 너는 내 최초의 펜팔 친구야. (first, pen pal)

14 난 너를 알게 돼서 기뻐. (glad, know)

Task6 On Your Own

아래 〈Bank〉의 표현들을 이용해서 괄호 안에 지시된 대로 여러분 자신에 대해 써 봅시다.

1 My name is _____ (이름이 무엇인지)

2 _____ (몇 학년인지)

3 _____ (좋아하는 과목은 무엇인지)

4 _____ (잘하는 것은 무엇인지)

5 _____ (취미는 무엇인지)

6 _____ (아버지의 직업은 무엇인지)

7 _____ (아버지는 연령대가 어떻게 되는지)

Task7 Paragraph Writing

여러분이 쓴 문장과 〈Bank〉의 표현들을 이용하여, 친구 한 명을 정해 그에 대해 써 봅시다.

Bank

과목
math, English, science, social studies, music, art, physical education(P.E.)

취미/잘하는 일
exercise, cooking, swimming, traveling, reading, drawing/painting, playing tennis[baseball/basketball], going to the movies, watching TV, listening to music, playing the piano, playing games on the computer, chatting on line, talking on the phone, shopping, hanging out with friends

직업
teacher, doctor, nurse, farmer, lawyer, writer, pilot, flight attendant, engineer, police officer, government official, shopkeeper, sports player, reporter, businessperson, artist, musician, clerk, mechanic, actor/actress, scientist, baker, cook, carpenter, factory worker/office worker

장소 묘사하기

Writing with Grammar : There is[are]

Task 1 Grammar Key Points

What is wrong?
1. There is some boys out there.*
2. It is a switch by the door.*
3. Among the socks a ball is.*
4. There's a book in the table.*

1 **There *are* some boys out there.**

There는 주어가 아니고 is/are 다음에 오는 명사가 주어이다. 그러므로 단수동사 is를 쓸지 복수동사 are를 쓸지
는 be동사 다음에 오는 명사의 수를 보고 결정한다.

There is + 단수주어   There are + 복수주어
There <u>is</u> some water in the cup.   There <u>are</u> some flowers in the vase.

2 ***There* is a switch by the door.**

There is ~는 '(어떤 장소에) ~가 있다'라는 뜻이다. It is ~와 혼동하지 말 것.

3 **Among the socks *is a ball*.**

장소를 나타내는 표현이 강조돼서 문장 앞으로 나가면 주어와 동사의 위치가 바뀐다.

is + 단수주어   are + 복수주어
In the room <u>is</u> Mary.   On the hilltop <u>are</u> tall trees.

4 **There's a book *on* the table.**

장소의 전치사를 제대로 써야 한다. table은 in(안)이 아니고 on(위)을 써야 한다.

on ~ 위에   to the left[right] 왼쪽/오른쪽으로   under, beneath/over ~아래/위에
across from ~ 건너편에   below/above ~ 아래/위에   past ~ 지나서

next to/by/beside ~ 옆에   opposite ~ 반대 편에   behind/in front of ~ 뒤에/앞에

around/about ~ 주위에   between/among ~ 사이에(둘/셋 이상)   through ~을 통해서

in the middle of ~ 가운데에   along ~을 따라   against ~에 기대어, ~에 바싹 붙여

Task2 Composition

1 그림을 보고 A에 There is, There are 중 하나를 넣고 B에는 장소의 전치사를 보기에서 골라 넣으시오.

> 보기   on   next to   in the middle of   under   around   against

        A   **B**

1. _____ a table _____ the room.

2. _____ five chairs _____ the table.

3. _____ some cups _____ the table.

4. _____ some garbage _____ the table.

5. _____ a bookcase _____ the wall _____ the window.

2 그림을 보고 빈칸에 알맞은 전치사를 보기에서 골라 넣으시오.

> 보기   behind   past   across from   in front of   around

1. There is a bank _____ the library.

2. There is a restaurant _____ the bank.

3. There's a parking lot _____ the library.

4. There's a crosswalk _____ the bank.

5. There is a cinema _____ the corner.

3 괄호 안의 표현 중 문장에 맞는 것을 고르시오.

1. Where is your car? (There/It) is in the garage.

2. What's going on? (There/It) is a car accident around the corner.

3. Who is over there? (There/It) is John.

4. How is your new apartment? (It/There) is a great view.

5. What's wrong? (They/There) are some flies in the soup.

Writing Tasks

Task 1 Identifying

Jane이 Sumi에게 보낸 편지입니다. 각 문장의 주어에 동그라미하고 동사에 밑줄을 그으시오. 또한 장소의 부사(구)에는 괄호로 표시하시오.

What is your town like? Mine is very small. It is in a suburb of Chicago. There are only about two thousand people living in here. There are not any tall buildings. There is not a big shopping mall either. But there is an old museum. There are pretty parks here and there. My home is near the smallest park. Between my home and the park is a beautiful walking trail. Next time I'll send you a photo of my town. Bye for now.

Task 2 Reading&Writing

Mrs. Lee가 자신의 거실을 묘사하고 있습니다. 읽고 아래 질문에 완전한 문장으로 답하시오.

There is a sofa against the wall next to the door. And there's a piano against the wall opposite the sofa. There are two end tables, one between the sofa and the door, the other between the sofa and the window. And the bookcase... there is a bookcase in front of the wall between the windows. In front of the sofa is a coffee table. There's a picture on the wall above the piano. There's a TV in the corner between the piano and the bookcase.

1 Where is the sofa? _____

2 Is there a piano opposite the bookcase? _____

3 Where is the bookcase? _____

4 What is in front of the sofa? _____

5 Is there a clock on the wall above the piano? _____

6 Where is the TV? _____

다음은 신문에 난 광고입니다. 이 광고를 It이나 There로 시작되는 문장으로 만들어 봅시다.

For Rent

1. Great 2-bedroom apartment in Melrose.
2. Dishwasher. Washing machine & dryer in building.
3. Swimming pool & tennis court nearby.
4. Near subway, train, stores.
5. $1,200 a month with heat, gas & water included.
   Call Nancy at 962-2451.

1 _____

2 _____

3 _____

4 _____

5 The rent _____

Task4 **Editing**

다음은 서울을 소개하는 글입니다. 각 문장에 틀린 곳이 있으면 바르게 고치시오.

Seoul is a nice place to visit. **1.**It is many tall buildings. **2.**There is more than 10 million people living in there. **3.**There is a lot of cars on the street all the time. **4.**Yes, there is very crowded. But it has many beautiful sights. **5.**There beautiful long river flowing through the city. **6.**And more than ten nice, bridges over it. **7.**Around the city are lovely hills. It is also very safe. **8.**It is not much street crime. **9.**There is not like American cities. **10.**Best of all, there are so many nice people living in Seoul. You will love it!

Sumi가 자기 마을을 묘사하고 있습니다. 주어진 표현을 이용해서 영어로 옮겨 봅시다.

1 우리 집은 대도시에 있어. (big city)

2 고층아파트들이 많단다. (high-rise apartment building)

3 거리에는 언제나 차들이 많아. (street, all the time)

4 우리 집 앞에는 전철역이 있어. (subway station)

5 나무나 꽃들은 많지 않아. (not many)

6 우리 집 건너편에는 백화점이 있어. (department store)

7 우리 집 오른쪽에는 교회가 있고. (church, right)

8 여기저기에 조그만 공원들이 있긴 해. (park, here and there)

9 하지만 호수는 한 곳도 없어. (lake)

10 영화관이 몇 개나 있냐고? (cinema)

11 3개가 있어.

12 우리 마을은 아름다운 곳은 아니야. (beautiful)

13 하지만 편리하지. (convenient)

14 모든 것이 가까이에 있어. (everything, nearby)

아래 〈Bank〉의 표현들을 이용해서 여러분이 사는 마을을 집을 중심으로 묘사해 봅시다.

1 My home is _____ (여러분의 집이 있는 곳)

2 _____ (여러분의 마을은 한국의 어느 쪽에 있는지)

3 _____ (여러분의 마을에 어떤 자연 지형물이 있는지)

4 _____ (있다면 여러분 집의 어느 쪽에 있는지)

5 _____ (영화관이 있는지, 있다면 몇 개나 있는지)

6 _____ (지하철이 있는지)

7 _____ (여러분의 집 바로 앞에 무엇이 있는지)

8 _____ (여러분의 집 뒤에는 무엇이 있는지)

Task7 **Paragraph Writing**

여러분이 쓴 문장과 〈Bank〉의 표현들을 활용하여 여러분의 친척이 사는 동네를 묘사해 봅시다.

Bank

위치 in the country, on the farm, in the city, on the mountain, near the sea, in a suburb of a city

장소의 전치사들
on, in, next to, by, near, beside, in front of, behind, in the middle of, across from, opposite, around, to the right[left/east/west/south/north/southeast/southwest/northeast/northwest]

자연 지형물 river, lake, mountain, hill, sea, stream

동네 관련 단어
park, school, hotel, restaurant, drugstore, bookstore, toy store, grocery store, supermarket, playground, cinema/movie theater, church, department store, fire station, police station, train station, subway station, bus stop, apartment complex, apartment building, parking lot, swimming pool, (public) library, university, shopping mall, sports complex, tennis court, golf course, highway

Extra Writing Practice UNITS 1 & 2

1 어떤 사업가에 대한 소개글입니다. 주어진 표현을 이용해서 영어로 옮겨 봅시다.

1 Michael Smith는 아주 큰 부자다. (rich)
_____

2 그는 30대 후반이다. (late thirties)
_____

3 그는 아직 결혼하지 않았다. (married)
_____

4 그의 집은 New York 근교에 있다. (suburb)
_____

5 그의 집 앞에는 골프장이 있다. (golf course)
_____

6 그의 집 주위에는 큰 나무들이 있다. (around)
_____

7 그는 운동을 잘 못한다. (sports)
_____

8 하지만 그는 board game에 능하다. (good at)
_____

9 그의 집에는 온갖 종류의 board game들이 있다. (all kinds of)
_____

10 그가 가장 좋아하는 게임은 chess다. (favorite)
_____

11 그의 침실 바닥은 거대한 chess board다. (floor, giant)
_____

12 그의 집에 있는 책들은 대부분 chess에 관한 것들이다. (most, about)
_____

2 Chicago에 대한 소개글입니다. 주어진 표현을 이용해서 영어로 옮겨 봅시다.

1 Chicago는 미국에서 세 번째로 큰 도시다. (third largest)
_____

2 그 도시는(그것은) 미국의 중서부에 있다. (midwest)
_____

3 그 도시는(그것은) Lake Michigan (미시간호)에 연해 있다. (on)
_____

4 그 도시는(그것은) 매우 역동적인 도시다. (dynamic)
_____

5 그 도시는(그것은) 전형적인 미국 도시이기도 하다. (typical)
_____

6 거기에는 많은 산업체들이 있다. (industry)
_____

7 시의 중심가에는 세계에서 가장 높은 건물들이 있다. (downtown, tallest)
_____

8 Chicago에는 두 개의 프로야구팀이 있다. (professional baseball)
_____

9 그것들은 Cubs와 White Sox이다.
_____

10 Cubs는 Chicago 북부의 팀이다. (Northside)
_____

11 Chicago 흑인의 대부분은 남부에 있다. (African American, most)
_____

12 그들은 White Sox의 열렬한 팬이다. (big fan)
_____

지시하는 글쓰기

Writing with Grammar : 명령문

Task 1 Grammar Key Points

> **What is wrong?**
> 1. Happy!*
> 2. Send him.* (그를 보내줘.)
> 3. Not be sad.*
> 4. Be always happy.*

1 *Be* happy!

명령문은 동사로 시작된다. 서술어가 형용사나 명사일 때는 Be동사로 시작한다. (주어는 You이지만 생략됨)

일반동사로 시작하는 명령문	Be동사로 시작하는 명령문
Stop the car.	Be careful.
You stop the car.	You be careful. ('너'를 강조할 때 You를 써줌)
Please stop the car.	Please be careful. (부드럽게 부탁할 때 Please)
Do stop the car.	Do be careful. ('꼭 ~해라'라고 강조할 때 Do로 시작)

2 *Let him go.*

'누군가를 ~하게 해라'라고 제3자를 움직이게 할 때 Let을 쓴다. 이때 3인칭뿐 아니라 1인칭(I, we)도 온다.

3인칭을 대상으로	1인칭을 대상으로
Let him stay.	Let me stay.
Let them stay.	Let us stay.

3/4 *Don't be* sad./*Always be* happy.

'~하지 마라'라는 부정명령문은 모두 Don't로 시작한다. 때로 강조하기 위해 Never를 쓸 수도 있다. 또한 always와 같이 강조하기 위한 부사는 명령문 앞으로 온다.

일반동사 명령문	Be동사 명령문	Let 명령문
Don't stop the car.	Don't be a fool.	Don't let him go.
Never stop the car.	Never be a fool.	Never let him go.
Please stop the car.	Please be a fool.	Please let him go.
Always do your best.	Always be quiet.	Always let him go first.

Task2 Composition

1 다음 각각의 표지판에 해당하는 명령문을 아래 보기에서 골라 써 넣으시오.

보기
Don't cross the road.   Do not enter.   Stop.
Drive less than 30 miles per hour.   Do not litter.   Turn left here.
Be careful; the road may be slippery.   Smile; be happy.

1. _____

2. _____

3. _____

4. _____

5. _____

6. _____

7. _____

8. _____

2 화살표를 보고 빈칸에 들어갈 표현을 아래 보기에서 찾아 길안내를 하시오.

보기
take the second right   go straight down this street
go three more blocks   take the elevator

1. First, _____ .

2. Then _____ .

3. Next, _____ .

4. You'll see a bank on your left. _____ .

   My office is on the fourth floor.

BANK
4F

37

Writing Tasks

Task 1 Identifying

의사가 감기 환자에게 하는 말로 적당한 것을 둘 중에서 고르시오.

1. Get lots of rest. / Go outside and get some fresh air.
2. Drink a lot of water. / Eat more meat for extra energy.
3. Wash your body with cold water. / Wash your hands often.
4. Cover your mouth when you cough. / Never talk to your friends.

Task 2 Reading&Writing

색깔과 온도의 관계에 대한 실험을 지시하는 글입니다. 그림을 참고하여 지시문의 순서를 바르게 다시 쓰시오.

Then put the thermometer into each glass and check the temperature.
Leave them there for at least an hour.
Fill each glass with the same amount of water.
Wrap one glass with black paper, and the other with white paper.
Put both glasses in a sunny spot.
Write your findings on the chart.

1 Wrap _____

2 _____

3 _____

4 _____

5 _____

6 _____

Task3 Guided Writing

Jane이 Sumi에게 설거지가 필요 없는 캠핑용 스크램블 에그(scrambled egg) 만드는 법을 알려주고 있습니다. 빈칸에 들어갈 표현을 보기에서 고르시오. (*캠핑용 스크램블 에그: 지퍼백에 달걀 등의 재료를 넣고 끓는 물에 넣어 익혀 먹는 요리)

보기	add	don't use	mix the ingredients	turn the bag
	leave the bag	put the bag	break two eggs	

1 First, _____ into a strong ziplock bag.

2 _____ a bag with any holes.

3 Next, _____ some salt and pepper.

4 After that, _____ in the ziplock bag.

5 And then _____ into a pot with boiling water.

6 Now _____ in the boiling water for 15 minutes.

7 Finally, _____ inside out and eat the egg.

Task4 Editing

Sumi가 학교와 집에서 듣는 지시문들입니다. 틀린 곳이 있으면 바르게 고치시오.

1. Don't late for school. Hurry up!

2. Careful of the cars.

3. Keeping your hands clean.

4. Always do your homework first.

5. Be not silly. Be wise.

6. Do be quiet.

7. On time for class.

8. Never miss a class without a proper reason.

9. You raise your hand!

10. Let others to learn. Don't talk in class.

미국 초등학교 저학년 교과서에 나오는 지시문들입니다. 주어진 표현을 이용해서 영어로 옮겨 봅시다.

1 질문에 대답하시오. (answer, question)

2 지시문을 따르시오. (follow, instruction)

3 빠진 단어를 찾으시오. (find, missing word)

4 그림을 순서대로 놓으시오. (put, picture, order)

5 틀린 단어에 동그라미하시오. (circle, wrong, word)

6 맞는 단어를 골라 빈칸에 쓰시오. (choose, right, blank)

7 문장을 채우시오. (fill in, sentence)

8 아래 줄에 문장을 쓰시오. (write, line)

9 문제에서 답까지 줄을 그으시오. (draw, answer)

10 두 수를 더하시오. (add, number)

11 3을 빼시오. (take away)

12 그림을 잘라내시오. (cut out, picture)

Task6 On Your Own

여러분은 다음 상황에서 뭐라고 하나요? 아래 〈Bank〉의 표현 중에서 고르거나 그것을 이용해서 문장을 만들어 보시오. (한 개 이상 써도 됨)

1 _____ (동생이 시끄럽게 할 때)

2 _____ (생각할 시간이 필요할 때)

3 _____ (친구에게 부탁이 있을 때)

4 _____ (친구가 계속 기다리게 할 때)

5 _____ (혼자 있고 싶을 때)

6 _____ (동생이 계속 참견을 할 때)

7 _____ (항상 약속시간을 어기는 친구에게)

8 _____ (자기 마음을 솔직하게 털어놓지 않는 친구에게)

Task7 Paragraph Writing

선생님에게서 가장 많이 듣는 지시문은 무엇입니까? 〈Bank〉에서 5개를 골라 써 보시오.

Bank

Wait up.	Sleep tight.	Do me a favor, please.
Give me a minute.	Give me a break.	Leave me alone.
Mind your own business.	Go get it.	Listen up.
Don't make a mess.	Don't hurry.	Don't bother me.
Let me help you.	Let me go.	Let me try.
Be quiet.	Behave yourself, please.	Be honest.
Repeat after me.	Raise your hands first.	Be sure to make it this time.
Answer my question.	Pay attention to me.	Open your book.
Do your homework.	Get well ready for the test.	Turn in the paper by Monday.
Don't be late for class.	Be quiet.	Don't talk in class.

일상생활 이야기하기

Writing with Grammar : 단순현재

Task1 Grammar Key Points

What is wrong?
1. He like fishing in the lake.*
2. He don't have a car.*
3. He has always late breakfast.*
4. He hardly doesn't smile.*
5. He isn't always busy.* (그는 항상 바쁘지 않다.)

1 He *likes* fishing in the lake.

현재시제에서 주어가 3인칭 단수일 때는 동사에 반드시 –(e)s를 붙여야 한다.

_____ likes fishing.
He, She, It, The dog, John
(3인칭 단수주어)

_____ like fishing.
I, You, We, They, The boys, Dick and Jane
(1·2인칭과 복수주어)

2 He *doesn't have* a car.

일반동사는 do에 not을 붙여 부정문을 만든다. 주어가 3인칭 단수면 don't가 아닌 doesn't.

He isn't have money. He don't have money. He has not money. (✕)

3 He *always has* late breakfast.

빈도부사는 be동사나 조동사 뒤에, 일반동사 앞에 온다. (often, sometimes는 문장 앞이나 뒤에 올 수도 있다.)

be동사 + 빈도부사
He is always busy.

빈도부사 + 일반동사
He hardly has free time.

* 빈도부사: always, usually, often, sometimes, occasionally, seldom, hardly, never

4 **He *hardly smiles*.**

부정의 뜻을 가진 빈도부사 never, hardly, seldom, rarely는 not과 함께 쓰지 않는다.

5 **He *is never* busy.**

'항상 ~않다'는 never를 쓴다. not always는 '항상 ~은 아니다'라는 부분부정임.

Task2 Composition

1 다음 괄호에 주어진 동사를 문장에 맞게 써 넣으시오.

1. Water _____ (cover) most of the earth.

2. But we _____ (not have) enough water.

3. Why? The ocean _____ (hold) most of the water.

4. Besides, people _____ (use) fresh water, not seawater.

5. The earth _____ (have) less and less fresh water.

6. In some places, it _____ (not rain) as much as before.

2 자신과 정반대인 친구에 대해 이야기하고 있습니다. 주어진 문장이 긍정문이면 부정문으로, 부정문이면 긍정문으로 바꿔 쓰고(1~4), 괄호 안의 표현을 넣어서 문장을 바꾸시오(5~6).

1. I usually wear pants. Karen _____ .

2. I like meeting people. She _____ .

3. I am easy-going. _____

4. I don't have many secrets. _____

5. I say no sometimes. _____ (hardly)

6. I let others know what's on my mind. _____ (never)

3 다음 문장에 틀린 곳이 있으면 고치시오.

1. John have a new digital camera.

2. He carrys it everywhere.

3. He never let others touch it.

4. He isn't hardly generous.

Writing Tasks

Task 1 Identifying

유치원 선생님 Carol의 이야기입니다. 다음 글을 읽고 현재형 동사에 동그라미하고, 그 중 3인칭 단수형에는 다시 밑줄을 그으시오.

> Carol Baker is a kindergarten teacher. She teaches twenty young children at Little Creek Elementary School. The class begins at 8:30. But she usually arrives at school around 7:30. Then she prepares the lessons for the day. The children keep her very busy all day. They usually play games and learn new things. But they don't always listen to her. Sometimes they fight or cry. After school she attends meetings and prepares lessons. She loves her job but it is hard work.

Task 2 Reading & Writing

Jane의 편지를 읽고 아래 질문에 완전한 문장으로 답하시오.

> What is your day like? I wake up at 7 to my alarm clock. I have a light breakfast. I usually eat cereal or toast with milk. The school is not very far, so I don't take the school bus. Most of the time, I ride a bicycle to school. I arrive at school at around 8:00. I have five classes a day. School ends at 3:30. After school I have a few private lessons. In the evening, I chat on line with my friends, or listen to music. I go to bed at 10.

1 What time does Jane wake up? _____

2 What does usually she eat for breakfast? _____

3 How does she usually go to school? _____

4 How many classes does she have a day? _____

5 What time does school end? _____

6 What does she do in the evenings? _____

Task3 Guided Writing

Mrs. Lee의 주간 스케줄표를 보고 번호마다 주어진 빈도부사를 이용해 문장으로 만들어 봅시다. 두 번째 문장은 괄호 안의 표현을 가지고 부정문으로 만드시오. (두 번째 문장에는 빈도부사를 쓸 필요 없음)

Mon.	walk on the track (not in the gym)
Tue.	teach part time at the community center (not full time)
Wed.	work at the hospital as a volunteer (not for money)
Thu.	go to the gym for aerobics class (not very often)
Fri.	go to the grocery store with her family (never alone)

1 Mrs. Lee _____ on Monday. (always)

   She _____

2 _____ on Tuesday. (often)

   She _____

3 _____ on Wednesday. (occasionally)

   _____

4 _____ on Thursday. (sometimes)

   _____

5 _____ on Friday. (always)

   _____

Task4 Editing

다음은 Sumi가 자기 동생에 대해 쓴 글입니다. 각 문장에서 틀린 곳이 있으면 찾아 고치시오.

1. My brother always is a big headache to me. **2.** He always play in my room. **3.** He don't knock on the door to my room. **4.** He trys every new item in my room. **5.** And sometimes even break my favorite stuff. **6.** But he doesn't always say sorry. Not once. **7.** My mom hardly doesn't do anything about it. **8.** She doesn't knows she's spoiling him. **9.** I am not understand her. **10.** He not young. He's nine years old already.

45

Girl Scouts에 대한 글입니다. 주어진 표현을 이용해서 영어로 옮겨 봅시다.

1 우리는 연말이면 팝콘을 판다. (pop corn, the end of the year)

2 우리 엄마는 항상 그 연례행사를 도와주신다. (annual event)

3 우리는 보통 일주일에 한 번씩 모인다. (get together)

4 우리는 여름에 항상 캠핑을 간다. (go camping)

5 나는 Girl Scouts에서 많은 것을 배운다. (learn)

6 우리 단장님은 많은 것을 알고 계신다. (troop leader)

7 그분은 종종 우리에게 야생동식물에 대해 설명해 주신다. (explain, wildlife)

8 그분은 우리를 위해 가끔 식사 준비를 하신다. (fix meal)

9 그분은 우리 선생님이 아니다. 그는 우리 이웃이다. (teacher, neighbor)

10 그분은 거기서 돈을 버는 게 아니다. (earn money)

11 그분은 우리를 위해 자원봉사하시는 거다. (volunteer)

12 그분은 시내에서 식당을 경영하신다. (downtown, run, restaurant)

13 그분은 절대 우리에게 소리지르지 않는다. (shout)

14 우리는 모두 그분을 좋아한다.

Task6 **On Your Own**

〈Bank〉의 표현들을 이용해서 여러분 자신의 일상생활에 대해 써 봅시다.

1 I usually _____ in my free time. (한가할 때에 주로 하는 일)

2 _____ (이른 아침에 가끔 하는 일)

3 _____ (자기 전에 안 하는 일 한 가지)

4 _____ (시험 전에 절대 안 하는 일)

5 _____ (공부할 때 하는 일 또는 습관)

6 _____ (하루에 전화를 몇 통화나 하는지)

7 _____ (하루에 문자를 몇 개나 보내는지)

8 _____ (종종 엄마를 돕는 방법 한 가지)

Task7 **Paragraph Writing**

윗 문장과 〈Bank〉의 표현들을 이용하여 친구의 생활습관을 써 봅시다.

Bank

나쁜 습관
chew pencils, bite nails, pull one's hair, spin pens with fingers, daydream

아침에 하는 일
read the newspaper, exercise, drink juice, jog, listen to music[some English tapes], study

자기 전에 안 하는 일
eat snacks[sweets/chocolate/ice cream], brush one's teeth, take a shower[bath], do some stretching [exercise], meditate

집안 일
wash the dishes[car/dog], clean the house[table/room], set the table, mow the lawn, walk the dog, make the bed, take care of his[her] brother[sister]

Extra Writing Practice

1 에너지 절약에 대한 글입니다. 주어진 표현을 이용해서 영어로 옮겨 봅시다.

1 에너지를 절약해라. 에너지를 낭비하지 마라. (save, energy, waste)

   _____

2 목욕을 하지 마라. 샤워를 짧게 해라. (take a bath, shower)

   _____

3 뜨거운 음식을 냉장고에 넣지 마라. 그것을 밖에서 식혀라. (refrigerator, cool off)

   _____

4 너무 깨끗하려고 애쓰지 말아라. 물을 아껴라. (clean, save)

   _____

5 종이의 양면을 다 사용해라. 잘려진 나무를 생각해라. (both sides, cut)

   _____

6 난방기를 켜지 마라. 대신 따뜻한 옷을 입어라. (turn on, heater, warm clothes)

   _____

7 빈 병과 종이, 캔을 버리지 마라. 재활용해라. (throw away, empty bottle, recycle)

   _____

8 현명해라. 지구는 별로 많은 자원을 가지고 있지 않다. (wise, resource)

   _____

9 지구에게 잘해줘라. 지구가 오래 지속되도록 해줘라. (nice, last, long)

   _____

10 가까운 거리는 걸어라. 그것은 너를 건강하게 만든다. (distance, healthy)

   _____

2 Mr. Lee의 일상생활에 대한 글입니다. 주어진 표현을 이용해서 영어로 옮겨 봅시다.

1 Mr. Lee는 일주일에 5일 일한다. (work)

_____

2 그는 지하철을 타고 출근한다. (go to work, subway)

_____

3 그는 직장에서 늘 많은 사람을 만난다. (at work)

_____

4 그는 보통 하루에 30통 이상의 전화를 건다. (make phone calls)

_____

5 그는 주로 실내에서 일한다. (indoors)

_____

6 그는 많이 걸어다니지 않는다. (walk around)

_____

7 그의 사무실은 도심에 있다. (downtown)

_____

8 그는 주중에는 거의 운동을 하지 않는다. (exercise, during the week)

_____

9 그는 신선한 공기를 많이 마시지 않는다. (get, fresh air)

_____

10 그는 가끔 두통이 있다. (headache)

_____

11 그는 아침에는 몸이 좋지 않다. (feel well)

_____

12 그는 요즘 좋은 상태가 아니다. (good condition)

_____

상황 묘사하기

Writing with Grammar : 현재진행형

Task 1 Grammar Key Points

> **What is wrong?**
> 1. Jane taking a shower right now.*
> 2. It is begining to rain.*
> 3. He jogs this morning.*
> 4. It gets cold every day.*

1 Jane *is taking* a shower right now.

현재 일어나고 있는 일을 표현하는 현재진행형은 'be동사+-ing형'으로 만든다. (부정문은 be동사에 not을 붙인다.)

현재: 반복되는 습관
He takes a shower every day.

현재진행형: 일시적으로 진행되는 행위
He is taking a shower now.

2 It *is beginning* to rain.

-ing를 붙일 때 철자에 주의한다.

> *-ing 붙이는 규칙
> 1. moving, riding (끝의 e는 떼고 -ing를 붙인다.)
> 2. hitting, stopping ('단모음+단자음'으로 끝나는 동사는 마지막 자음을 반복해 준다.)
>   beginning, referring, controlling (동사가 2음절 이상일 때는 마지막 음절에 강세가 있는 경우만 자음을 반복한다.)
> 3. dying, lying (-ie로 끝나는 동사는 ie를 y로 고치고 -ing를 붙인다.)

3 He *is jogging* this morning.

지금(now, at the moment)뿐만 아니라 현재를 포함하는 일시적 시간들(today, this morning, this week, this month, these days 등)도 현재진행형을 쓴다.

지금
He is not working <u>now</u>.

현재를 포함하는 일시적 시간
He is not working <u>this morning</u>.

4 **It *is getting* cold every day.**

'~되고 있다'라고 변화하고 있는 일은 현재진행형으로 쓴다.

Task 2 **Composition**

1 다음 동사의 현재진행형을 빈칸에 써 넣으시오.

1. jump _____   2. beg _____   3. rain _____

4. drop _____   5. heat _____   6. study _____

7. admit _____   8. visit _____   9. exit _____

10. hit _____   11. bake _____   12. mix _____

13. refer _____   14. occur _____   15. open _____

16. lie _____   17. make _____   18. tap _____

2 지금 일어나고 있는 일을 묘사하고 있습니다. 문맥에 맞게 괄호 안의 동사시제를 고치고, 긍정문 또는 부정문으로 만드시오.

1. John is late for school. He _____ (run).

2. Sam doesn't like water. He _____ (swim).

3. Mrs. Smith is very tired. She _____ (lie) on the sofa.

4. It _____ (begin) to rain. Let's get inside.

5. Bill is out of town. He _____ (visit) his parents in New York.

6. The children are not happy. They _____ (enjoy) the game.

7. It is almost winter. It _____ (get) cold.

3 괄호 안의 표현을 알맞은 형태로 만들어 빈칸에 써 넣으시오.

1. Steve is a bus driver. But he _____ (not, drive a bus, today).

   He _____ (drive a taxi).

2. Sam and Tim are mechanics. But they _____ (not, fix cars)

   this week. They _____ (work in a restaurant as waiters).

3. I am a construction worker. But this month I _____

   (not, work at a construction site). I _____ (pump gas at a service station).

Writing Tasks

Task 1 Identifying

이상기후에 대한 글입니다. 읽으면서 현재진행형에 동그라미하고 현재형에는 밑줄을 그으시오. 그리고 왜 현재진행형이 쓰였는지 생각해 보시오.

It is snowing all day. We have a lot of snow this winter. Usually we don't have much snow in winter. Surely, the climate is changing. It is getting colder every winter. More people are dying of cold. But summer is getting hotter. It rains more. The rain often floods fields and towns. In some places, however, it is getting dry. It doesn't rain very much there. More and more land is losing water and becoming desert.

Task 2 Reading&Writing

Jane의 편지입니다. 읽고 아래 질문에 완전한 문장으로 답하시오.

Hi, Sumi! How are you doing? Autumn is a lovely season, isn't it? Autumn is my favorite season. It's beautiful everywhere. Even people look more beautiful in autumn. Do you see the picture of my family? We are having a typical weekend in the picture. The sun is shining brightly. My dad is raking the leaves. Brian is mowing the lawn nearby. My mom is hanging the laundry. I am giving my dog Pal a bath. He is having fun with the bubbles. What are you doing? I miss you. Bye!

1 Which season does Jane like best? _____

2 What is Jane doing in the picture? _____

3 What is Brian doing? _____

4 What is Pal playing with? _____

5 Who is hanging the laundry? _____

6 Who is raking the leaves? _____

교실 안 풍경입니다. 그림을 보고 각각 무엇을 하는지 아래 표현들을 연결하여 문장을 만드시오.

주어	동사	목적어	부사
The teacher	read	math questions	to each other
Tim	fly	a comic book	on the blackboard
Brian	write	a pencil	toward Bill
Jill and Sarah	chew	a paper plane	under the desk
Nancy	talk		

1 The teacher _____ .

2 Tim _____ .

3 Brian _____ .

4 Jill and Sarah _____ .

5 Nancy _____ .

Task4 **Editing**

다음은 Sumi가 여행 중에 Jane에게 쓴 편지입니다. 각 문장에 틀린 곳이 있으면 바르게 고치시오.

Hi! **1.**Guess where I writing to you. I'm on a train! **2.**The train now pass through the countryside. The scenery is beautiful. **3.**Dragonflies are danceing around. **4.**Children are swiming in the stream. **5.**Cows grazing on the hillside. **6.**I am traveling with my friends this summer. **7.**What they are doing now? They are all sleeping. **8.**Maybe my parents is worrying about me. **9.**But I think I learn a lot on this trip. **10.**I am prouding of myself.

지진에 대한 글입니다. 주어진 표현을 이용해서 영어로 옮겨 봅시다.

1 건물들이 타고 있다. (burn)

2 사람들은 소리지르고 있다. (scream)

3 검은 연기가 올라가고 있다. (smoke, rise)

4 아직도 땅이 흔들리고 있다. (shake)

5 건물 안의 몇몇 사람들은 도움을 요청하고 있다. (call for help)

6 이 지역에는 보통 지진이 일어나지 않는다. (earthquake, take place)

7 그러나 요즘에는 지진이 많이 발생하고 있다. (occur, these days)

8 기후도 변하고 있다. (climate)

9 지진은 많은 사람들의 목숨을 앗아간다. (take away, lives)

10 지진은 종종 도시 전체를 파괴한다. (destroy, whole)

11 그런데 시는 아무 조치도 취하지 않고 있다. (take action)

12 시는 미래에 적절히 대비하지 않고 있다. (prepare, future, properly)

〈Bank〉의 표현들을 이용해서 여러분의 주변과 여러분의 지금 모습을 문장으로 써 봅시다.

1 _____ (날씨가 어떤지)

2 _____ (여러분이 하고 있는 일)

3 _____ (지금 어디에 앉아[누워/서] 있는지)

4 _____ (아까는 했으나 지금은 하고 있지 않은 일)

5 _____ (지금 어떤 옷을 입고 있는지)

6 _____ (밖에서 일어나고 있는 일)

7 _____ (여러분이 어떻게 변하고 있는지 ― 뚱뚱하게/건강하게)

8 _____ (일요일 이 시간에 여러분이 주로 하는 일)

Task7 **Paragraph Writing**

윗 문장들과 〈Bank〉의 표현들을 이용해서 주위에 있는 한 사람의 모습을 묘사해 봅시다.

Bank

날씨

hot, cold, warm, cool, chilly, freezing, nice, sunny, raining, snowing, windy, cloudy, foggy, stormy, dusty, humid, wet, dry, muggy

동작

sleep, lie, stand, drink, play (something), take class, take tests, study, learn, listen, talk, argue, cook, work on a(n) exercise[problem/paper], write a report, wash, kick, throw, catch, shout, shop, buy, sell, clean, set something, do something, watch, read, make, plan (on), think

상태의 변화

get fat / gain weight, get thin / lose weight, get healthy, get more nervous[sensitive/confident/worried/friendly/depressed/gloomy/picky/annoyed/interested in/outgoing/introverted]

Journal 쓰기

Writing with Grammar : 현재와 현재진행형

Task 1 Grammar Key Points

What is wrong?
1. He is teaching English.*(그는 선생님이다.)
2. I am hearing some music.*
3. He has dinner now.*

1 He *teaches* English.

일시적으로 일어나고 있는 일에는 현재진행형을 쓰고, 직업과 같이 반복적으로 하는 일에는 현재형을 써야 한다.

일시적인 일: 현재진행형   늘 하는 일: 현재형
He is teaching this week.   He teaches for a living.

> *now, today, this year, these days 등 일시적 시간   *usually, often, every day 등 반복되는 시간

2 I *hear* some music.

'~하고 있다'라고 하더라도 hear, like, know, see 등 움직임을 볼 수 없는 상태동사는 진행형으로 쓰지 않는다.

동작동사(진행형: ○)   상태동사(진행형: X)
I am looking at the sky.   I see a star. (am seeing → X)
I am listening to music.   I hear some noise outside. (am hearing → X)

> *상태동사: 감정(like, hate...), 인식(want, know, understand, think...), 지각(look, see, hear...), 소유(have, own, belong...), 가격이나 치수
> (cost, weigh...) 등

3 He *is having* dinner now.

같은 상태동사라도 쓰이는 뜻에 따라 동작동사가 될 수 있다.

동작동사: 진행형으로 쓸 수 있음	상태동사: 진행형으로 쓰지 않음
He is having dinner. (have: 먹다)	He has a sister. (have: 가지고 있다)
He is thinking now. (think: 생각중)	He thinks I am a fool. (think: 의견)
He is weighing himself. (무게를 재다)	He weighs 100 pounds. (무게가 나가다)

Task2 Composition

1 보기 중 알맞은 것을 골라 현재형 또는 현재진행형으로 만들어 각 문장을 완성하시오.

> 보기 belong to me   have a good time   teach Spanish
> play soccer outside   cost very much   have any work to do
> understand the questions   weigh 200 pounds

1. Mr. White is a teacher. He _____ .

2. The pants are mine. They _____ .

3. I hear some noise. Some children _____ .

4. John is free today. He (not) _____ .

5. He is fat. He _____ .

6. It is a nice party. Everybody _____ .

7. This car is in good condition. But it (not) _____ .

8. I am taking a hard test. I (not) _____ .

2 괄호 안의 표현 중 문장에 맞는 것을 고르시오.

1. Jane jogs (in the morning/this morning).

2. Sam is working at the library (once a week/this summer).

3. I don't go to work (every Wednesday/right now).

4. We are having (a good time/many things to do).

5. I (see/am seeing) a bird building a nest.

6. He dreams about you (very often/now).

7. Mr. White makes sandwiches (for a living/this year).

8. I (know/am knowing) the answer.

Writing Tasks

Task 1 Identifying

새를 관찰한 일지입니다. 읽으면서 현재진행형에는 동그라미하고 현재형 동사에는 밑줄을 그으시오. 그리고 왜 현재형과 현재진행형이 쓰였는지 생각해 보시오.

June 15. (the 20th Day)

Finally they are out into the world. I see three tiny baby birds in the nest. But one egg is still lying there. It is not moving. It doesn't show any sign of hatching. The babies don't have much hair on their bodies. But they are really cute. They are twittering all morning because they want something to eat. The mommy bird is hunting all day so she can feed them. She truly loves her babies. I hope she finds enough food.

Task 2 Reading&Writing

Jane이 쓴 자기의 개 Pal의 병상일지입니다. 읽고 아래 질문에 완전한 문장으로 답하시오.

Fri. Oct. 12

Pal is sick. He has a fever. I take him to the vet every day this week. I give him medicine every six hours. I am doing everything I can. I think I am taking good care of him. But he is not getting any better. Oh, my poor Pal! He usually jumps around me when I am home. He always barks at birds. But these days he is not doing any of these things. He doesn't even mind flies on his nose. He is just lying on the floor right now. I feel really sorry for him.

1 Does Pal have a broken leg? _____

2 Who takes Pal to the vet? _____

3 How often does Jane give him medicine? _____

4 Is he getting better? _____

5 What does Pal usually do when Jane is home? _____

6 What is Pal doing right now? _____

Task3 Guided Writing

Jane이 Pal에 대해 걱정하고 있습니다. Pal이 평소와 반대로 행동하고 있기 때문입니다. 왼쪽 문장에 주어진 동사를 오른쪽 문장에 맞는 형태로 넣으시오.

usually	now/this morning
1. He eats very well.	He _____ (not) this week.
2. He chases Kit.	_____ (not) today.
3. He wags his tail at Jane.	_____ (not) at all.
4. He looks happy.	_____ (not).
5. He has a wet nose.	_____ (not) these days.
6. He doesn't sleep in the morning.	_____ this morning.
7. He doesn't have sleepy eyes.	_____ all day today.
8. He sniffs around.	_____ these days.

Task4 Editing

Sumi가 Jane에게 보낸 편지의 일부입니다. 각 문장의 밑줄 친 동사에 잘못된 곳이 있으면 바르게 고치시오.

Dear Jane,

....

1.It is raining very hard today here in Korea. **2.**Strong wind is blowing all day. **3.**Every year at this time we are having one or more typhoons. **4.**Now we are having the biggest one in decades. **5.**Rivers are overflowing . **6.**We are seeing water everywhere. **7.**My mom is worrying about her parents in the country. **8.**We are hearing only bad news though. **9.**Farmers are losing their crops and houses. **10.**They are having the worst time in their lives. **11.**I am thinking this is because of global warming.

Jane네 반이 축제 준비를 하고 있는 모습입니다. 주어진 표현을 이용해서 영어로 옮겨 봅시다.

1 Jane네 반은 이번 주 내내 축제 준비를 하고 있다. (prepare, festival)

2 몇몇은 춤을 연습하고 있다. (practice dancing)

3 몇몇은 연극 연습을 하고 있다. (work on a play)

4 Kate와 Maria는 초대장을 만들고 있다. (make invitation cards)

5 Jane은 할 일이 아주 많다. (things to do)

6 그녀는 무대장치와 조명을 책임지고 있다. (take charge of, setting, lighting)

7 그녀는 친구들과 함께 작업하는 게 좋다. (working together)

8 그녀의 친구들도 모두 들떠 보인다. (excited)

9 교실은 점점 울긋불긋하게 변하고 있다. (turn colorful)

10 그들은 모든 일을 스스로 하고 있다. (by themselves)

11 선생님들이 그들을 도와주고 있지 않다. (help)

12 그들은 자기 자신들이 자랑스럽다. (feel proud)

13 그들은 다음 주를 고대하고 있다. (look forward to)

14 그들은 힘들지만 즐거운 시간을 보내고 있다. (a difficult but good time)

〈Bank〉의 표현들을 이용해서 괄호 안에 지시한 대로 문장을 써 봅시다.

1 I like to play _____ (여러분이 좋아하는 운동 한 가지)

2 _____ (여러분이 좋아하지 않는 채소 한 가지)

3 _____ (여러분이 건강을 위해 매일 하는 일 한 가지)

4 _____ (여러분이 평소에 사람들 앞에서 안 하는 일 한 가지)

5 _____ (여러분의 지금 기분)

6 _____ (여러분이 잘 아는 것 한 가지)

7 _____ (여러분이 이해하지 못하는 것 한 가지)

8 _____ (지금 여러분의 눈에 보이는 것 한 가지)

Task7 **Paragraph Writing**

위의 문장과 〈Bank〉의 표현들을 이용하여 여러분의 주변 사람에 대해 써 봅시다.

Bank

모습
tidy, untidy, clean, dirty, pretty, handsome, fat, slim, slender, strange, plain, homely, pale, healthy, sick, charming

기분
good, bad, fine, okay, terrible, awful, happy, sad, angry, upset, silly, comfortable, uncomfortable, uneasy, nervous, excited, embarrassed, miserable

잘 아는 것
animals, insects, machine, computer, classical music, pop music, Latin music, jazz, dance, sports, art, history, geography, movies, American Indians, games, human body, plants, dinosaurs, environment, travel, cooking, fashion, celebrities, photography, germs, economy, politics, technology

이해하지 못하는 것
math formulars, English grammar, science, rules of chess[football/game], girls[boys]' mind

Extra Writing Practice

1 에너지 문제에 대한 글입니다. 주어진 표현을 이용해서 영어로 옮겨 봅시다.

1   기름값이 오르고 있다. (oil prices, rise)

   _____

2   겨울이 점점 추워지고 있다. (get cold)

   _____

3   사람들은 점점 더 많은 기름을 필요로 한다. (need, more and more)

   _____

4   그들은 점점 더 편한 생활을 원한다. (comfortable life)

   _____

5   더 많은 사람들이 차를 소유하고 있다. (own)

   _____

6   거리는 차들로 더 붐벼가고 있다. (crowded, traffic)

   _____

7   우리는 매일 더 많은 기름을 쓰고 있다. (use)

   _____

8   이제 우리는 기름이 많이 없다. (run out)

   _____

9   몇몇 나라들은 기름을 위해 싸우고 있다. (fight)

   _____

10   그들은 먼 미래를 보지는 않는다. (far into the future)

   _____

11   우리의 미래는 우리의 노력에 달려 있다. (depend on, effort)

   _____

12   지구는 우리의 보살핌을 필요로 하고 있다. (need, care)

   _____

2 어느 콘서트장의 모습입니다. 주어진 표현을 이용해서 영어로 옮겨 봅시다.

1 그 슈퍼스타는 그녀의 최고 hit song을 부르고 있다. (superstar)

_____

2 그녀는 평소에는 노래를 부르는 중에 직접 기타 연주를 하지 않는다.
(play the guitar, while singing)

_____

3 오늘 저녁 내내 그녀는 노래하면서 기타를 연주하고 있다. (all this evening)

_____

4 그녀의 노래는 오늘 무척 힘있게 들린다. (powerful)

_____

5 관객들은 모두 손에 라이트 스틱을 가지고 있다. (audience, light stick)

_____

6 모두들 일어서서 음악에 맞춰 몸을 흔들고 있다. (swing to)

_____

7 stadium 전체가 불빛 바다 같이 보인다. (sea of light)

_____

8 밤이 깊어가고 있다. (deep)

_____

9 음악은 점점 조용해지고 있다. (quiet)

_____

10 가끔 개구리 소리가 들린다. (frog)

_____

11 콘서트도 끝나고 있다. (come to an end)

_____

12 하지만 아무도 졸려 보이지 않는다. (sleepy)

_____

일기 쓰기

Writing with Grammar : 단순과거

Task1 Grammar Key Points

What is wrong?
1. My mom waked me up early in the morning.*
2. I was get up too late.*
3. I didn't slept very well last night.*
4. I was late for school some day.*

1 My mom *woke* me up early in the morning.

동사의 과거형을 정확히 써줘야 한다. 대부분의 동사에는 -ed를 붙이지만 불규칙변화 동사는 각각 다르게 변하므로 따로 외워둬야 한다. (동사의 과거형은 주어에 관계없이 일정하다.)

규칙 변화동사: -ed를 붙임
He washed his hands.
(wash–washed–washed)

불규칙 변화동사: 각각 형태가 다름
He left for work.
(leave–left–left)

　* 불규칙동사 변화표(p.134 APPENDIX I 참조)

2 I *got* up too late.

be동사를 동사 앞에 쓰는 경우는 현재진행형과 수동태 밖에는 없다.

3 I *didn't sleep* very well last night.

부정문은 was/were가 있을 때를 제외하고는 현재의 don't/doesn't 대신 didn't를 쓴다. 뒤따르는 동사는 원형을 쓴다.

4 I was late for school *one day*.

some day는 미래를 나타내는 시간의 표현.

Task2 Composition

1 다음 동사의 과거형을 빈칸에 써 넣으시오.

1. try _____   2. have _____   3. do _____

4. stop _____   5. swim _____   6. sit _____

7. come _____   8. give _____   9. wear _____

10. begin _____   11. die _____   12. send _____

13. get _____   14. draw _____   15. stand _____

16. star _____   17. pray _____   18. tug _____

2 빈칸에 알맞은 동사와 괄호 안의 단어를 넣어 문장을 완성하시오.

1. He didn't drink coffee. He _____ (tea).

2. He didn't take a shower. He _____ (a bath).

3. He didn't drive a taxi. He _____ (a bus).

4. He didn't run fast. He _____ (slowly).

5. He didn't speak English. He _____ (Spanish).

3 전학 온 친구의 달라진 모습입니다. 모든 문장을 과거로 고치되 긍정문은 부정문으로, 부정문은 긍정문으로 바꾸시오.

1. Now Carmen speaks English well. She _____ at first.

2. She is not very shy. _____ then.

3. She doesn't bring lunch to school. _____ then.

4. She doesn't study very hard. _____ then.

5. She is very funny. _____ at first.

6. She doesn't wear skirts. _____ then.

7. Usually she doesn't do things alone. _____ then.

8. She doesn't carry a heavy bag. _____ then.

Writing Tasks

Task 1 Identifying

Brian의 일기입니다. 읽고 과거형 동사에 모두 동그라미하시오.

It was a terrible day. Everything went wrong. My clock was dead and I was late for school. I forgot to bring my homework, and the teacher got angry. He told me to stay after school. During recess, Jack stepped on my foot. He said sorry but I almost fought with him. I don't know why. I was not myself. All my friends blamed me. They left me alone in the schoolyard. Even Jenny didn't speak to me all day. I came home alone. I was lonely and sad.

Task 2 Reading&Writing

Max의 일기입니다. 읽고 아래 질문에 완전한 문장으로 답하시오.

I had a bad fight with Mom. It was about the computer this time. I was surfing the net for some games. Suddenly she rushed into my room and turned off the computer. I didn't know what to say. She was so rude! I went out and slammed the door behind me. Later in the evening, I saw my report card lying on the kitchen table. My grades were so bad. That was why she had been so upset. I was so ashamed of myself. I left her a note. I wrote, "Sorry, Mom. I'll do better next time." Back in my room, I found her note on my desk. It said, "Sorry, Max. I do love you."

1 Why was Max angry? _____

2 What did he do then? _____

3 What did he see later in the evening? _____

4 How did he feel about himself? _____

5 What did he do for his mother? _____

6 What did he find on his desk? _____

Jane의 어느 금요일 모습입니다. 메모를 보고 아래 표현들을 이용해서 Jane이 하루 동안 한 일을 순서대로 써 봅시다.

Memo

Fri. April 4

9:30 am	science test	18:30 pm	dinner (Mom's birthday)
3:30 pm	get home from school	11:00 pm	late night movie (channel 5)
4:00 pm	tennis at Susan's		

동사	목적어	장소/방법의 부사(구)	시간의 부사(구)
take	a test	with Susan	in the morning
play	tennis	at school	at 3:30 in the afternoon
watch	home	on TV	from 4 to 5 in the afternoon.
celebrate	a movie	at a restaurant	at 6:30 pm.
come	Mom's birthday	from school	until midnight

1 I _____ in the morning.

2 _____ at 3:30 in the afternoon.

3 _____ from 4 to 5 in the afternoon.

4 _____ at 6:30 pm.

5 _____ until midnight.

과학시간에 생긴 일에 대해 쓴 일기입니다. 과거시제와 관련하여 틀린 부분이 있으면 바르게 고치시오.

1.There was an experiment in the science class last afternoon. 2.Before the experiment, the teacher warns us about chemicals. 3.At last we did started on the experiment. 4.We did very careful. 5.We mixxed some chemicals very carefully. 6.Then some smelly smoke arised. 7.Suddenly my nose begun to itch and I sneezed loudly. 8.At that, Frank droped a beaker with chemicals. 9.It broken into pieces on the floor. 10.I did not on purpose but I was very sorry.

Sumi의 어느 하루의 이야기입니다. 주어진 표현을 이용해서 영어로 옮겨 봅시다.

1 오늘은 내 생일이다. (birthday)

2 나는 가족과 함께 놀이공원에 갔다. (amusement park)

3 놀이공원에는 사람들이 아주 많았다. (a lot of)

4 모든 재미난 놀이기구 앞에는 긴 줄이 있었다. (long line, fun ride)

5 우리는 롤러코스터를 타기 위해 1시간을 기다렸다. (to ride a roller coaster)

6 우리는 점심으로 핫도그와 콜라를 먹었다. (hot dog)

7 그 핫도그는 맛이 좋지 않았다. (taste)

8 점심을 먹고 나서 나는 배가 아팠다. (stomachache)

9 우리는 서둘러 집으로 돌아왔다. (hurry)

10 엄마는 나를 의사에게 데려갔다. (take)

11 나는 약을 먹고 밤 늦게까지 잤다. (take medicine)

12 나는 저녁도 못 먹었다.

13 내 13번째 생일에 나는 재미있게 놀지도 못하고 오후 내내 침대에 누워 있었다.
(have fun, lie in bed)

Task6 On Your Own

〈Bank〉의 표현들을 이용해서 여러분의 지난 하루를 써 봅시다.

1 It was _____ today. (날씨가 어땠는지)

2 _____ (아침에 일어나서 기분이 어땠는지)

3 _____ (학교에서 누구랑 무엇에 대해 이야기했는지)

4 _____ (수업을 몇 시간이나 들었는지)

5 _____ (학교에서 무엇을 했는지)

6 _____ (안 해야 하는데 한 일/특별한 일)

7 _____ (해야 하는데 하지 않은 일)

8 _____ (어떤 하루였는지)

Task7 Paragraph Writing

윗 문장들과 〈Bank〉의 표현들을 이용해서 친구의 어느 특별한 하루를 영어로 써 봅시다.

_____

_____

_____

_____

_____

_____

Bank

학교에서 있었던 일
be late, get sick[hurt], take[fail] a test, get a report card, give a presentation, do an experiment, fall asleep, be praised[scolded/punished/awarded] for, have a field trip, fight, argue, forget homework[textbook] at school, lose, borrow[lend], see [something/someone], hear

안 해야 하는데 한 일
play games, watch TV, shop on line, hang around with friends, read comic books, spend too much money, eat junk food, buy, sleep, miss class, skip meals, forget homework, lose

어떤 하루
good, wonderful, terrific, great, fun, happy, gloomy, sad, special, awful, terrible, worst, best, memorable

사건 보고하기

Writing with Grammar : 과거진행형

Task 1 Grammar Key Points

What is wrong?
1. It was 3 am. I slept soundly then.*
2. I saw him. He ran after a dog.*
3. I was remembering his name.*

1 **It was 3 am. I *was sleeping* soundly then.**

'~하고 있었다'라는 과거진행형은 과거에 진행 중이던 사건에 쓴다. 'was/were(be동사의 과거형)+-ing'로 표현한다.

과거: 한 동작	과거진행형: 진행 중이던 동작
I went to bed at 11 o'clock.	I was sleeping at 11 o'clock.

2 **I saw him. He *was running* after a dog.**

어떤 일이 진행 중인 동안(과거진행형) 다른 일이 생긴(과거) 경우다. 위의 문장처럼 둘 다 과거를 쓰면 내가 그를 본 후 그가 개를 쫓아간 것이 된다.

과거 + 과거	과거 + 과거진행형
두 사건이 시차를 두고 발생함.	한 사건 도중에 다른 사건이 일어남.
He came. I greeted him.	He came. I was waiting for him.
(그가 오자 내가 인사함)	(그가 왔을 때 난 그를 기다리고 있었음)

3 **I *remembered* his name.**

현재진행형에서와 마찬가지로 상태동사는 과거진행형으로 쓰지 않는다.

과거진행형: 변화과정	과거: 과거의 상태
I was getting to know him.	I knew him.
(그를 알아가고 있었다.)	(그를 알고 있었다.)

1 매일 같은 생활을 되풀이하는 어느 waitress의 이야기입니다. 빈칸에 알맞은 표현을 써 넣으시오.

1. I am serving food now.

_____ at this time yesterday.

2. I am wearing a dirty uniform today.

_____ yesterday.

3. My boss is pushing me today.

_____ yesterday.

4. I am not feeling well today.

_____ yesterday.

5. The customers are not being very nice today.

_____ yesterday.

2 사고 당시를 서술하는 내용입니다. 문장이 자연스럽게 이어지도록 괄호 안의 과거, 과거진행형 중 맞는 것을 고르시오.

1. I (made/was making) a left turn at that moment.

2. The old man (stood/was standing) on the sidewalk.

3. The dog (sat/was sitting) beside him.

4. Suddenly the dog (ran/was running) onto the road.

5. I instantly (stepped/was stepping) on the brake.

6. Then the truck (hit/was hitting) my car.

7. It (followed/was following) right behind me.

8. I think the driver (didn't pay/was not paying) attention to the road.

9. He (talked/was talking) on the phone.

10. He (got/was getting) hurt because he (didn't wear/was not wearing) a seat belt.

Writing Tasks

Task 1 Identifying

Titanic 호가 가라앉던 순간을 쓴 글입니다. 과거진행형에 동그라미하고 과거형에는 밑줄을 그으시오.

In 1912, the Titanic was traveling in the Atlantic Ocean to New York. It was big: it was 269 meters long. It was carrying 2,200 people. The passengers liked the trip. They were riding on the biggest, safest ship in the world. They were having a lot of fun, too. On Sunday, April 14, a radio operator received a few iceberg warnings. However, he didn't think much of them. It was midnight. Most passengers were sleeping. Then suddenly the ship hit a huge block of ice. At 1:00 am, the ship was sinking.

Task 2 Reading&Writing

Sarah가 지진이 있던 순간에 대해 쓴 글입니다. 읽고 아래 질문에 완전한 문장으로 답하시오.

My Worst Birthday

The earthquake happened. And it ruined my day. It was 1:00 pm, two hours before my birthday party. I turned thirteen that day. I was standing in front of the mirror. I looked grown up. I almost felt like a woman. My mom was baking cookies. My dad was shopping for something secret for me. Even my brother Sam was being nice to me. He was fixing my bicycle. The cookies smelled heavenly. Balloons were hanging on the trees. The sunlight was showering down. Then it happened.

1 How did she feel? _____

2 What was she doing? _____

3 What was her mother doing? _____

4 Was her father fixing her bike? _____

5 Where were the balloons hanging? _____

6 What did she smell? _____

Task3 Guided Writing

각 줄의 표현을 연결해 사고의 순간을 묘사하시오. (동사의 시제는 과거와 과거진행형 중 하나를 쓴다.)

주어	동사	목적어/보어	접속사	시간의 부사절
Brian	do	the dishes	when	he broke a glass
Mr. Lee	hit	a tree	while	he was backing up his car
The men	have	a party		the smoke alarm went off
Mrs. Lee	stir	the soup		a fly fell into it
The children	play	baseball		it began to rain

1 Brian _____ .

2 Mr. Lee _____ .

3 The men _____ .

4 Mrs. Lee _____ .

5 The children _____ .

Task4 Editing

Brian이 학교에서 있었던 사건에 대해 쓴 글입니다. 밑줄 친 부분이 틀렸으면 바르게 고치시오.

1. My friends and I was playing tag . I was IT. **2.** I was runing after Joe .

3. Then suddenly I was bumping into Amy . **4.** She was helding a cone of ice

cream and now it was all over her face. Then the teacher came over.

Amy said, " **5.** I looked for something and suddenly **6.** he was hitting me "

7. I said she was telling a lie .

"Amy, what were you looking for?" the teacher asked.

"My glasses," she said. **8.** Then the teacher was holding up his hand and asking,

"Amy, how many fingers do you see?" "Three," she said.

"You're wrong. **9.** You were not wearing glasses . **10.** And you were not seeing

Brian in your way . I think it was an accident," he said.

73

어느 저녁을 묘사하고 있습니다. 주어진 표현을 이용해서 영어로 옮겨 봅시다.

1 나는 내 방에서 책을 읽고 있었다. (read)

2 나는 노크 소리를 듣지 못했다. (hear, knock)

3 나는 earphone을 끼고 있었다. (wear)

4 아버지께서 내 어깨를 두드렸다. (tap, shoulder)

5 그는 넥타이에 정장을 하고 있었다. (suit, tie)

6 나는 시계를 보았다. 벌써 6시였다. (look at, clock)

7 모두가 아래층에서 나를 기다리고 있었다. (downstairs)

8 날이 어두워지고 있었다. (get dark)

9 길에는 차들이 많지 않았다. (street)

10 우리는 7시가 훨씬 넘어서 파티에 도착했다. (arrive)

11 모두가 즐겁게 먹고 마시고 이야기하고 있었다. (happily)

12 하지만 Susan과 Kate는 구석에서 자기들끼리 앉아 있었다. (by themselves)

13 그 애들은 전혀 즐거워 보이지 않았다.

14 나는 그 애들에게 인사하고 합석했다. (say hi, join)

Task 6 On Your Own

무슨 일을 하는데 갑자기 다른 일이 일어나 당황했던 기억이 있지요? 여러분이 가진 가장 당황스러운 기억은 무엇인가요? 기억을 되살려 그 순간을 묘사해 봅시다.

1 I was _____ (여러분이 있던 장소/시간)

2 _____ (여러분이 하고 있던 일)

3 _____ (여러분의 주위에서 일어나고 있던 일)

4 _____ (갑자기 중간에 생긴 일)

5 _____ (여러분의 반응)

6 _____ (뒤에 이어서 일어난 일)

7 _____ (뒤에 일어난 일/결말)

Task 7 Paragraph Writing

윗 문장과 〈Bank〉의 표현들을 참고하여 여러분이 들은 어떤 이야기를 써 봅시다.

Bank

하고 있던 일
get dressed, take a shower, write in one's diary, talk, doze, sleep, walk, meet someone, do something secret, take a peek at something, sneak into, ride in a car[on a bicycle]

중간에 생긴 일
pop into, jump out of, rush, dash, break, drop, stop, hit, strike, fall down[off], fall asleep[silent], stumble over, trip over, cut in, forget, remember, appear, disappear, interrupt, interfere

여러분의 반응
surprised, embarrassed, terrified, frightened, ashamed, scared, shocked, glad, curious, disappointed, scream, laugh, burst into tears[laughter], hug, shout, hide, run for cover, cover one's face, cry, throw, run away, run to the person, faint

1 Kevin의 어느 하루 이야기입니다. 주어진 표현을 이용해서 영어로 옮겨 봅시다.

1   나는 어제 심한 감기에 걸렸다. (catch a bad cold)

_____

2   나는 친구들과 공원에서 야구를 하고 있었다. (play baseball)

_____

3   우리는 아주 재미있게 놀고 있었다. (have fun)

_____

4   나는 공을 던지고 있었고, 우리 팀이 이기고 있었다. (pitch, win)

_____

5   그때 갑자기 비가 내리기 시작했다. (suddenly)

_____

6   우리는 집에 가고 싶지 않았다. (not want, home)

_____

7   우리는 빗속에서 계속 경기를 했다. (keep playing)

_____

8   밤에 나는 열이 심하게 났다. (have a high fever)

_____

9   오늘 나는 학교에 가지 못했다. (go to school)

_____

10   나는 오늘 하루 종일 누워 있었다. (stay[be/lie] in bed)

_____

11   지금도 나는 몸이 안 좋다. (feel well)

_____

12   하지만 난 지금도 야구 생각을 한다. (think of)

_____

2 홍수가 난 어떤 마을을 묘사하고 있습니다. 주어진 표현을 이용해서 영어로 옮겨 봅시다.

1 비는 하루 종일 퍼붓고 있었다. (pour)

_____

2 강물은 마을과 들판으로 넘치고 있었다. (overflow, village, field)

_____

3 사람들이 지붕 위에서 구조를 요청하고 있었다. (call for help, rooftop)

_____

4 물은 점점 더 위로 올라오고 있었다. (rise)

_____

5 구조대원들은 사람들을 배로 실어 나르고 있었다. (rescuer, carry, boat)

_____

6 모두들 지치고 겁먹어 보였다. (exhausted, frightened)

_____

7 소와 돼지들이 강을 떠내려가는 게 보였다. (see, cow, pig, float)

_____

8 닭과 거위들의 소리가 여기저기서 들렸다. (hear, chicken, goose)

_____

9 나는 작년의 홍수가 생각났다. (remember, flood)

_____

10 그것은 정말 끔찍했었다. (horrible)

_____

11 이 지역은 거의 해마다 홍수를 겪는다. (area, suffer from, almost)

_____

12 그 사람들이 안됐다. (feel sorry for)

_____

Writing with Grammar : 미래

Task1 Grammar Key Points

What is wrong?
1. He will happy. / He is going to happy.*
2. Look at the cloud! It will rain.*
3. The movie is starting at 7.*
4. I'll be back after one hour.*

1 He *will be* happy. He *is going to be* happy.

will과 be going to는 모두 미래에 쓰이는 조동사다. 조동사 뒤에는 반드시 본동사가 와야 한다.

단수/복수주어 + will

There will be two meetings.

단수주어 + is going to / 복수주어 + are going to

There are going to be two meetings.

2 Look at the cloud! It's *going to* rain.

will과 be going to는 모두 미래의 예측에 쓰이지만, 현재 상황을 보면서 예측할 때는 be going to(~하려고 한다)를 쓴다. (구분이 뚜렷하지 않으면 둘 다 가능)

be going to: 현재 상황에 따른 예상

Look! He is going to fall down.

will: 단순예측

Maybe it will be cold this winter.

3 The movie *starts* at 7.

확정된 미래의 공식 스케줄에는 현재형을 쓴다. (변경의 여지가 있는 사적인 스케줄은 현재진행형을 씀)

현재진행형: 사적인 계획에

I am leaving tomorrow.

현재형: 변경의 여지없는 공식적인 스케줄

The plane leaves at 7.

4 I'll be back *in an hour.*

in과 after는 둘 다 '~ 후에'이지만 after는 과거에, in은 미래에 쓰인다.

> * 미래 시간 표현들: tomorrow, tomorrow morning(evening/night), the day after tomorrow/next week(month/Sunday), three days later, in an hour(three days), some day

---

Task2 Composition

1 콩이 자라는 과정을 예측하고 있습니다. 보기에서 알맞은 동사를 골라 will과 be going to를 이용해 각각 두 개의 미래문장을 만들어 보시오.

| 보기 | be | come | take | begin | bloom |

1. The seeds _____/_____ roots in a few days.

2. Buds _____/_____ out in a week.

3. There _____/_____ a lot of rain in spring.

4. Flowers _____/_____ no later than June.

5. Peas _____/_____ to show in July.

2 Mrs. Lee의 다음 주 schedule을 보고 아래 질문에 완전한 문장으로 답하시오.

Mon.	Tue.	Wed.	Thu.	Fri.
lunch with Susan	tennis in the park	Uncle Harry comes over (plane at 3)	work in the library	regular checkup at the dentist

1. Who will she meet on Monday?

_____

2. Where is she going to play tennis on Tuesday?

_____

3. Who is going to come over on Wednesday?

_____

4. What time does the plane arrive?

_____

5. Why is she going to the dentist on Friday?

_____

Writing Tasks

Task 1 Identifying

Tim의 일기입니다. 미래시제 동사에 모두 동그라미하시오.

My dog Max is going to be one tomorrow. I'm going to celebrate with him. First, I will give him a big bone for a present. Then I am going to take him to the park after school. We will play catch and have a good time. Maybe we will play Frisbee, too. We won't come home until dark. He'll love it. He's going to be the happiest dog in the world on his first birthday.

Task 2 Reading&Writing

Jane이 여름방학을 앞두고 Sumi에게 보낸 편지입니다. 읽고 아래 질문에 완전한 문장으로 답하시오.

Hi! It is getting warm, and I am getting more excited. Why? OUR SUMMER VACATION STARTS IN A WEEK! There will be no school and no tests for three months! I will have a lot of fun. I'm going to read but I'm not going to study. My mom is not going to push me this time. What are your plans? Here are mine. I am going to learn jazz dance. I am going camping with my Girl Scout troop. Maybe I will visit my cousin in Colorado, too. With all these activities, I am going to lose some weight. Oh, I have to go. I'll write you soon. Bye!

1 How long will the school vacation be? _____
2 When will she have her summer vacation? _____
3 Is she going to study hard during the vacation? _____
4 What is she going to learn? _____
5 Who is she probably going to visit? _____
6 With whom is she going camping? _____
7 Will she get thinner this summer? _____

주어진 동사와 목적어/보어를 연결해 상황에 맞춰 예측하는 문장을 완성해 보시오.

주어	동사	목적어/보어	부사(구)
Jane	climb	an e-mail	this evening
The old man	be	a glass of warm milk	soon
The roads	write	a conference	tomorrow morning
Brian	drink	the mountain	before going to bed
Mr. and Mrs. White	be	slippery	next month
It	attend	freezing	this week

1 Jane _____ this evening. Her computer is now fixed.

2 The old man _____ soon. He is almost at the mountain.

3 It is snowing hard. The roads _____ tomorrow morning.

4 Brian _____ before going to bed. He wants to sleep well.

5 Mr. and Mrs. White _____ next month. They are busy preparing.

6 It _____ this week. Look at the weather map.

다음은 Sumi가 쓴 미래를 예측하는 내용의 작문입니다. 밑줄 친 표현 중 미래시제의 사용과 관련해서 틀린 부분이 있으면 바르게 고치시오.

¹·The world is going to smaller and smaller . ²·Maybe the people in the world use the same language . ³· There is going to be no paper books but e-books. ⁴· We'll going to have more free time. Why? ⁵·Robots are doing most of our work. ⁶· The NASA launches another space shuttle next month. ⁷· Some day, ordinary people will be able to travel in space. ⁸·However, our future is going to not be very rosy . ⁹·Mountains willn't have many trees. ¹⁰·The earth will full of trash in a few centuries .

유럽여행을 앞두고 여행사 직원이 여행에 대해 설명하는 글입니다. 주어진 표현을 이용해서 영어로 옮겨 봅시다.
(will, be going to, 현재진행형, 현재형 이용)

1   이번 여행은 아주 즐거울 겁니다. (enjoyable)

2   여러분은 이번 주 수요일에 출발해서 다음 주 토요일에 돌아옵니다. (leave, come back)

3   비행기는 수요일 오후 3시에 출발합니다. (take off)

4   그것은 여섯 시간 후면 Paris에 도착할 것입니다. (arrive)

5   유럽은 전혀 춥지 않을 것입니다. (cold)

6   그리고 지금 시즌에는 관광객이 많이 없을 것입니다. (this season)

7   첫날은 시내관광을 하게 됩니다. (have a city tour)

8   Rome에서는 멋진 축제를 즐기시게 되겠습니다. (enjoy, terrific, festival)

9   여러분은 Rome에서 이틀을 머무르게 될 겁니다. (stay)

10   London에서는 아마도 우산이 필요하실 겁니다. (umbrella)

11   여러분은 21일 저녁 8시경에 Chicago에 도착하게 됩니다.

12   저희는 여러분의 즐거운 여행을 위해 최선을 다하겠습니다. (do one's best, pleasant trip)

13   그럼 공항에서 만나뵙겠습니다. (airport)

〈Bank〉의 표현들을 이용해서 여러분의 미래에 대한 글을 써 봅시다.

1 I _____ in an hour. (계획)

2 I _____ later today. (계획)

3 I _____ this weekend. (계획)

4 I _____ this year. (결심)

5 I _____ three years later. (계획)

6 Probably it _____ tomorrow. (예측: 날씨)

7 I _____ when I grow up. (의도: 직업)

8 I _____ if I win the lottery. (의도)

Task7 **Paragraph Writing**

윗 문장들과 〈Bank〉의 표현들을 이용해서 친구나 가족 중 한 사람의 미래 계획이나 결심, 예측, 의도 등을 자세히 써 봅시다.

Bank

직업
work for, do, teacher, doctor, government official, soldier, police officer, firefighter, farmer, actor[actress], artist, musician, pilot, flight attendant

한 해의 결심
get better grades, perform better at school, win first place in, master, be a better person, read more books, learn, buy

복권에 당첨된다면 할 일
buy a car[house/computer/clothes], travel around the world, start a business, fix one's nose[eyes], invest in the stock market, save for the future, donate to the people in need, give away

Messages

Writing with Grammar : 조동사

Task 1 Grammar Key Points

What is wrong?
1. He must did that.*
2. He may can be here tomorrow.*
3. He maybe here soon.*
4. It's free. You must not pay for that.*

1 He *had to do* that.

조동사 뒤에는 반드시 동사원형이 온다. 과거 문장이라면 조동사를 과거형으로 만들어야 한다.

can/could, will/would, may/might, must, have to/had to (과거형이 있는 경우)
should, could, might, would (과거형이 따로 없는 경우: 그대로 씀)

2 He *may be able to* be here tomorrow.

조동사 두 개는 나란히 올 수 없다. 둘 중 하나는 다른 표현으로 바꾼다.

may can → may be able to   may must → may have to
must can → must be able to   will can → will be able to

3 He *may be* here soon./*Maybe* he *will be* here soon.

maybe(아마)는 may be(may + be)와 다르다. 미래의 추측이라면 maybe 다음에는 미래시제를 써줘야 한다.
(may는 현재와 미래에 다 쓴다.)

현재의 추측

He may[might/could] be here now.
Maybe he is here.

미래의 추측

He may[might/could] be here tomorrow.
Maybe he will be here.

* He must[can't] be here.
  (must/can't: 현재의 확신. '~임/아님에 틀림없다')

He should be here soon.
(should: 미래의 기대. '~이겠다')

4 It's free. You *don't have to* pay for that.

must not은 '~하면 안 된다'라는 금지(= may not, cannot)의 표현이다. don't have to는 '~할 필요 없다'의 의미로 must not과 다르다.

* ~해도 된다(허가): may, can, could   ex. May[Can/Could] I come in?
* ~해야 한다: must(의무: 강제성 있을 때), should(권고: 강제성 없을 때)   ex. He should (not) study hard.

Task 2 Composition

1 주어진 문장과 같은 뜻의 문장을 보기의 조동사를 이용하여 만드시오. (필요하면 과거로)

보기	can	may	must	have to	should

1. You are allowed to leave now. = You _____ .

2. You are not permitted to hang around here. = You _____ .

3. I am able to move this rock alone. = I _____ .

4. I was not able to make it in time. = I _____ .

5. The rain will probably let up soon. = The rain _____ .

6. It is necessary that he pay for that. = He _____ .

7. It is not necessary for you to dress up for the concert. = You _____ .

8. I am sure he is a model. = He _____ .

9. It is expected that he will win the game. = He _____ .

2 다음 괄호 안의 표현 중 문장에 맞는 것을 고르시오.

1. It's not certain. There (maybe/may be) rain tomorrow.

2. There is no dress code. You (must not/don't have to) wear a suit.

3. Time is running out. You (cannot/are not able to) waste time.

4. Are you serious? You (must/should) be joking.

5. It is impossible. That (can't/may not) be true.

6. The weather will be fine. The picnic (must/should) be fun.

7. There is a sign over there. You (may not/are not able to) smoke here.

8. It's free. You (may/must) take as much as you want.

9. You look pale. I think you (may/should) get some rest.

10. He broke the window. He (has to/can) pay for it.

Writing Tasks

Task 1 Identifying

tornado(회오리바람)에 대한 신문보도입니다. 모든 조동사에 동그라미하시오.

It will be another tough week. The temperature may drop even further. The wind could get stronger. There might be a tornado or two in the middle of the week. You had better get well-prepared. You shouldn't leave anything movable in the open field. No one should be outside. Remember the tornado can blow your house and car away.

Task 2 Reading&Writing

애완견 Pal을 잃어버린 후 쓴 Jane의 e-mail입니다. 읽고 아래 질문에 완전한 문장으로 답하시오.

Sumi, I can't find Pal anywhere today. Where could he be? He may be lost somewhere in the woods. Somebody may have him. Or... he could be dead. It is very possible. Many dogs and cats are killed on the street every day. Now I am really worried. If someone has him, how could the person find my house? He can't speak! If he is alive, he must be scared and lonely. Oh, this can't be real. I should report him lost to the police, shouldn't I? I have to go now. I'll get back to you soon. Bye.

1 What is the problem?

2 What probably happened to Pal?   He _____

3 What could be another guess?   Somebody _____

4 What is another possibility?   He _____

5 If Pal is alive, how is he feeling now? _____

6 What should she do? _____

Task3 **Guided Writing**

다음 표지판 문구들을 보기와 조동사를 더해 긍정문 또는 부정문으로 만드시오.
(may, can, must, have to, should)

보기	eat and rest in this area come into the building be slippery	make noise in the reading room use the room fasten your seat belt	swim here pay to try it

1 No Swimming   You _____.

2 Buckle Up   You _____.

3 Rest Area   You _____.

4 Slippery Road   Be careful! The road _____.

5 Men's Room   Only men _____.

6 No Dogs allowed   Your dog _____.

7 Silence   You _____.

8 Free Try   You _____.

Task4 **Editing**

집이나 사무실에 남겨진 메시지들입니다. 밑줄 친 조동사 표현 중 잘못된 곳이 있으면 바르게 고치시오.

1. Susie, I <u>will may not attend</u> the meeting next week. 2. My mom is sick and I've <u>to go</u> see her. 3. I <u>maybe there</u> until the end of next week. Sorry about that. I'll call you later! —Kim

Hi! Welcome back! 4. You <u>must still feel</u> weak. 5. Sorry I <u>couldn't</u> visit you in the hospital. 6. I <u>must be</u> away all last week. 7. Remember you <u>shouldn't work</u> too hard! 8. I <u>will like to see</u> you soon. —Steve

9. Dear Tenant, you <u>don't have to keep</u> a dog in your apartment. That's the rule. Please get rid of your dog by next week. 10. Or you <u>has to</u> move out. Thank you. —Margaret White, Manager of River Hill Apartment

Did you know Pat and Sue are going to get married? 11. That <u>can't be</u> true! I am shocked. Call me ASAP. —Bridget

캠핑을 떠나는 학생들에게 선생님이 하는 말입니다. 주어진 표현을 이용해서 영어로 옮겨 봅시다.

1 나는 늦을지도 모른다. (late)

2 그러니 먼저 떠나도 된다. (leave)

3 기억해라. 캠핑규칙들을 꼭 지켜야 한다. (observe, camping rule)

4 비가 올지도 모른다. (rain)

5 산에서 길을 잃을 수도 있다. (get lost)

6 어떤 경우라도 당황해서는 안 된다. (embarrassed, in any case)

7 너희들은 너희 자신을 보호할 수 있어야 한다. (protect, yourselves)

8 때로는 두려울 수도 있다. (scared)

9 때로는 스스로 중요한 결정을 내려야만 할 것이다. (make decisions)

10 하지만 걱정할 필요는 없다. (worry)

11 너희 모두는 잘 해낼 수 있을 것이다. (do it well)

12 너희들은 지금 모두 긴장하고 있음에 틀림없다. (nervous)

13 기억해라. 땀 없이는 아무것도 얻을 수 없다. (without sweat)

여러분 자신에 관해 아래 조동사와 〈Bank〉의 표현들을 이용하여 긍정문 또는 부정문으로 써 봅시다.
(can, could, may, could, must, must not, have to, would like to)

1 I _____ (여러분이 학생으로서 해야 하는 일)

2 I _____ (여러분이 학생으로서 해서는 안 되는 일)

3 I _____ (오늘 할 필요가 없는 일)

4 _____ (오늘 일어날지도 모르는 일)

5 He[She] _____ (여러분의 친구가 절대 할리 없는 일)

6 _____ (여러분의 친구가 지금 틀림없이 하고 있을 일)

7 I _____ (여러분이 가장 잘할 수 있는 일)

8 I _____ (지금은 못하지만 전에는 잘 했던 일)

윗 문장들과 〈Bank〉의 표현들을 이용해서 친척이나 친구에 관해 써 봅시다.

Bank

해야 하는 일
wear school uniforms, cut one's hair short, attend classes, obey teachers[school rules], take tests, do homework

해서는 안 되는 일
miss class without a proper reason, play too many games on the computer, smoke, drink, bully others, cheat on tests, call others names, use bad language, hurt others

잘 하는 일
write, sing, dance, cook, paint, draw, build, make, do paper folding, solve puzzle, tell stories, tell jokes, play a musical instrument(piano/violin), play sports, memorize

하고 싶은 일
go to a good university, make good friends, get good grades, be somebody, be good at

1 Sumi의 장래 희망에 대한 글입니다. 주어진 표현을 이용해서 영어로 옮겨 봅시다.

1 나는 관광 가이드가 되려고 한다. (tour guide)

   _____

2 나는 많은 나라를 여행할 수 있을 것이다. (travel)

   _____

3 많은 외국인 친구를 사귈 수 있을지도 모른다. (make foreign friends)

   _____

4 나는 다른 나라에 대해 많은 것을 배우고 싶다. (learn)

   _____

5 또한 나는 세계에 한국을 소개하고 싶다. (introduce)

   _____

6 나는 외국인과 자유롭게 의사소통할 수 있어야 한다. (communicate, freely)

   _____

7 영어는 머지않아 국제어가 될 수도 있다. (before long, international language)

   _____

8 그러므로 나는 영어를 아주 잘하지 않으면 안 된다. (speak well)

   _____

9 나는 다른 언어들도 공부해야 할지도 모른다. (language)

   _____

10 중국어가 중요해질 것이다. (Chinese, important)

   _____

11 외국어를 배우는 것은 분명 쉽지 않을 것이다. (learning a foreign language, easy)

   _____

12 하지만 난 결코 포기하지 않을 것이다. (give up)

   _____

2 미국 학교에 들어간 한국 학생이 상담선생님(guidance counselor)에게서 듣는 이야기입니다. 주어진 표현과 적절한 조동사 표현을 이용해서 영어로 옮겨 봅시다.

1 넌 학교에 8시 10분 이전에 도착해야 한다. (arrive)

_____

2 교과서는 가지고 다닐 필요 없다. 사물함에 보관하면 된다. (textbook, keep, locker)

_____

3 수업 중에는 모자를 쓰면 안 된다. (hat, in class)

_____

4 결석할 시에는 학교에 전화해야 한다.
When you can't come to school, _____.

5 점심은 학교에서 사먹을 수도 있고 가져와도 된다. (buy, bring)

_____

6 복도에서 뛰어다니면 안 된다. (run, hallway)

_____

7 옷은 아무거나 입어도 된다. (wear)

_____

8 지나친 화장이나 장신구는 안하는 게 좋다. (wear, makeup, jewelry)

_____

9 가끔 소방훈련이 있을 수 있다. 놀라지 마라. (fire drill, surprised)

_____

10 한 학기에 한두 번씩 견학이 있을지 모른다. (field trip, semester)

_____

11 짓궂은 친구들이 반드시 있을 것이다. (naughty)

_____

12 넌 언제라도 나한테 도움을 청해도 된다. (ask for help)

_____

사물 묘사하기

Writing with Grammar : 명사와 대명사

Task 1 Grammar Key Points

What is wrong?
1. I like book. I have a lot of it.*
2. I got a car. This is a car.*
3. There are not many times left.*
4. I like he. He likes I.*

1 I like *books*. I have a lot of *them*.

셀 수 있는 명사는 단/복수를 구분해 써줘야 한다. (명사가 주어일 경우 명사의 수에 따라 동사도 is/are, have/has로 달라지며, 그 명사를 대신하는 대명사도 it/they로 달라진다.)

셀 수 없는 명사: 단/복수 표시 불필요

Here is some water. You can drink it.

셀 수 있는 명사: 단/복수 구분

Here are some apples. You can eat them.

Here is an apple. You can eat it.

> * 모음 발음(알파벳과 관계 없음) 앞에서는 an
> a university/year/horse
> an umbrella/ear/hour

2 I got a car. This is *the* car.

a(n)는 정해지지 않은 대상에, the는 정해진 대상에 쓴다.

a(n) '하나의, 어떤' : 구체적으로 어떤 대상인지 모름

A man named White called.

the '그' : 정해진 대상

The man in the middle is my teacher.

3 There *is* not *much time* left.

셀 수 없는 명사(water, money, time...)에는 a(n) 대신 some을, many 대신 much를 쓴다.

many[two/several/a few...] books   much[a little/some] money

4 I like *him*. He likes *me*.

인칭대명사는 문장에서의 쓰임(주어, 목적어, 소유격, 소유대명사)에 따라 변화한다.

Task2 Composition

1 Jane의 이야기입니다. 보기의 단어들을 단수형 또는 복수형으로 만들어 빈칸을 채우시오. (필요하면 a/an 을 넣으시오)

보기	egg	toast	jogging	swimming
	shirt	jean	book	pencil

1. I like _____ and _____ for exercise.

2. I eat _____ and _____ with milk for breakfast.

3. I wear _____ and _____ to school.

4. I have _____ and _____ in my book bag.

2 주어진 문장의 주어를 복수형으로 만들어 문장을 다시 쓰시오.

1. A child is crying for his mother. →Two _____ .

2. A baby is talking to himself. →Those _____ .

3. A man needs a wife. →All _____ .

4. A leaf has an insect on it. →A few _____ .

5. A sheep is looking for his mate. →Several _____ .

6. There is one zero in my phone number. → _____ (five).

7. A thief is breaking into the house. →Some _____ .

3 빈칸에 a, an, some 중 하나를 써 넣으시오.

1. I saw _____ hero from the war _____ hour ago.

2. I need _____ oil and _____ egg.

3. He went to _____ university in _____ unknown town.

4. There are _____ people in the room: _____ old man, _____ young woman, and _____ young men.

Writing Tasks

Task 1 Identifying

Jane이 자기 시계를 묘사하고 있습니다. 모든 대명사에는 동그라미하고 명사에는 밑줄을 그으시오.

I got a watch for my birthday yesterday. It is the most beautiful watch I have
ever seen. There are two rows of tiny jewels around its face. They sparkle
beautifully. The face of the watch is pink with small flowers printed on it. The
three hands are black. At the end of each hand is a tiny red point. The straps
are made of purple leather. There are two white lines on each of them.

Task 2 Reading & Writing

인터넷 경매에 나온 상품 설명입니다. 읽고 아래 질문에 완전한 문장으로 답하시오.

* They are size 5 white leather Nike sneakers for women. There are two
blue stripes on the outer side of each sneaker. On the inner side are
zippers. They're just three weeks old, almost new.
* It is a small green handbag. It is made of plastic, so it is very light. It
has a checked design of blue and gray. It has both a long strap and a small
handle. So you can carry it on your shoulder or in your hand.
* It is a straw hat with a white ribbon around it. It has a wide brim, so it
gives you lots of shade in the sun.

1 What size are the sneakers? _____

2 What are on the inner side of them? _____

3 What is the handbag made of? _____

4 What kind of design does it have? _____

5 What kind of accessories does it have? _____

6 What kind of hat is it? _____

7 What is good about the hat? _____

Mrs. Lee가 쇼핑한 물건들입니다. 그림을 보고 각 품목을 순서대로 묘사해 봅시다. (필요하면 단/복수형을 구분해줄 것)

품목	색깔/모양/무늬	재질	부속품
1. chest	small	silk	two handle
2. sunglasses	black	leather	three drawer
3. blouse	striped	wood	plastic button
4. tray	round	silver	gold frame
5. hat	checked	wool	black ribbon
6. sneakers	white		blue string

1   a small wood chest with _____

2   _____ sunglasses with _____

3   _____

4   _____

5   _____

6   _____

거미에 대한 Sumi의 작문입니다. 각 문장의 밑줄 친 표현에 틀린 곳이 있으면 모두 고치시오.

1. Spider has four pair of walking leg. **2.** It's body is divided into two part, not three. **3.** It doesn't have any antenna. **4.** So it is not insect. **5.** It's meat-eating animal. **6.** Spiders have to shed there skin to grow. **7.** They produce silk thread and use them in much ways: **8.** the web is nest for its egg and means to travel and hunt. **9.** They are 26,000 species of spider in the world.

Sumi가 세 가지 물건을 묘사하고 있습니다. 주어진 표현을 이용해서 영어로 옮겨 봅시다.

1 그것은 중간 크기의 가방이다. (medium-sized)

2 그것은 갈색 천으로 만들어졌다. (fabric)

3 그것은 전체적으로 작은 꽃무늬가 있다. (flowery pattern, all over it)

4 그것은 긴 가죽끈이 두 개 있다. (leather, strap)

5 앞에는 큰 정사각형 주머니가 하나 있다. (square, pocket, front)

6 그것들은 격자무늬의 파란색과 흰색 셔츠다. (plaid, blue and white)

7 그것들은 짧은 소매와 흰 칼라가 있다. (sleeve, collar)

8 각각 앞쪽에는 세 개의 작은 플라스틱 단추가 달려 있다. (front, plastic, button)

9 뒤에는 하얀색으로 글자가 쓰여 있다. (letter, back)

10 그것들은 어떤 종류의 바지와도 어울린다. (go with, pants)

11 이것은 둥근 나무 탁자다. (round, wood)

12 가운데에 굵은 다리가 하나 있다. (thick, center)

13 그 다리에는 가는 세로 줄무늬가 있다. (fine, vertical line)

Task 6 On Your Own

⟨Bank⟩의 표현들을 이용해서 지시대로 여러분에 대해 써 봅시다. (각 문장에 두 개의 명사를 넣을 것)

1 I like to eat _____ (좋아하는 음식들)

2 _____ (좋아하는 옷들)

3 _____ (늘 가지고 다니는 물건들)

4 _____ (여가시간에 하기 좋아하는 일들)

5 _____ (주로 이용하는 교통수단)

6 _____ (연주하는 악기/좋아하는 음악)

7 _____ (가장 많이 생각하는 것)

8 _____ (방문하고 싶은 곳)

Task 7 Paragraph Writing

윗 문장들과 ⟨Bank⟩의 표현들을 이용해서 친구나 가족 중 한 사람에 대해 써 봅시다.

Bank

음식 rice, vegetables, salad, soup, meat, toast, egg, cereal, milk, pancake, juice, sausage, ham, bacon, steak, pizza, fish, mineral water

옷가지 school uniform, shirt, T-shirt, dress shirt, sweater, sleeveless top, vest, blouse, skirt, suit (and a tie), coat, jacket, jumper, pants, slacks, jeans, shorts, wind breaker, overall, cap, hat, mittens, gloves, sneakers, slippers

교통수단 bus, subway, bicycle, taxi, train, express bus, airplane

나라 France, Spain, Italy, England, Canada, Australia, New Zealand, Brazil, Japan, China, India, Africa, Turkey, Thailand, the Philippines

사람 · 사물 묘사하기

Writing with Grammar : 형용사와 부사

Task 1 Grammar Key Points

What is wrong?
1. It is beautiful red big chair.*
2. I'd like cold something.*
3. He feels comfortably.*
4. He studies hardly.*

1   **It is *a beautiful big red* chair.**

명사 앞에 오는 형용사가 여러 개일 때는 '의견 → 사실'의 순서로, 사실형용사 중에는 '크기 → 색깔 → 재료/국적' 등 세분화되는 순서로 놓인다. a, the, this, my 등은 이 모든 형용사들 앞에 놓인다.

한정사	(부사)	의견	크기	색깔	재료/국적	명사
a[this]	(very)	pretty	big	brown	wooden	chair
your	(incredibly)	expensive	small	white	Chinese	

2   **I'd like *something cold*.**

명사는 앞에서, something, nothing, anything 등의 부정대명사는 뒤에서 수식한다.

형용사 + 명사	부정대명사 + 형용사
cold water	something cold

3   **He feels *comfortable*.**

불완전자동사(look, sound, feel...) 뒤에는 형용사가 오고, 완전동사 뒤에는 부사가 온다.

불완전자동사 + 보어(형용사)	완전동사 + 부사
He <u>looks</u> comfortable.	He <u>talks</u> comfortably.

4 He studies *hard*.

형용사에 -ly를 붙이면 부사가 된다. 그러나 예외가 있다.

He got up late. (lately→✕)   He works well. (goodly→✕)

* fast, early, late, hard, high, far, near (형용사/부사 둘 다 쓰임)
* hardly, lately, nearly, highly (-ly를 붙이면 전혀 다른 뜻이 됨) / good-well, bad-ill (형용사와 부사의 형태가 전혀 다른 경우)

Task2 Composition

1 괄호 안의 단어들로 굵은 글씨의 명사를 수식하는 문장을 만드시오.

1. It is **storybook.** (a(n), interesting, very)

   _____

2. Look at **cover.** (wonderfully, this, illustrated)

   _____

3. **Children** like it. (American, young, many)

   _____

4. I bought it at **price.** (incredibly, a(n), high)

   _____

5. The author is **woman.** (a(n), Korean, intelligent, young)

   _____

6. I'll send it to **friend.** (old, my, good)

   _____

2 괄호 안의 형용사/부사 중 문장에 맞는 것을 고르시오.

1. He looked (nervous/nervously), and talked (nervous/nervously).
2. He drove (safe/safely), and I felt (safe/safely) in the car.
3. I don't feel very (badly/well) today.
4. The wind blew (hard/hardly) all day.
5. He didn't show up on time. He showed up (late/lately).
6. I find the married couple very (happy/happily).
7. He seems to be very (friendly/bravely).
8. They are (too/enough) old to do that.

Writing Tasks

Task 1 Identifying

Loch Ness monster에 대한 글입니다. 명사구에는 밑줄을 긋고 형용사에는 동그라미하시오. 또 부사에는 괄호를 치시오.

Many Scottish believe there is a mysterious creature in a swamp called Loch Ness. The scary monster, they say, lives under the dark brown water. Many people tried to capture the monster's image with cameras. In their photos, it surely looks like a very large animal. However, the pictures are usually too hazy and blurry. No one can clearly see a scary monster in the pictures. Still the legend of Nessie the monster goes on.

Task 2 Reading&Writing

Jane이 어떤 물건(it)을 묘사하고 있습니다. 읽고 지문 속의 형용사와 부사를 넣어 대답을 완성해 봅시다.

It is an electronic house appliance. You can find it in the family room of almost every ordinary household. It is an essential part of our daily life. For its users, it is a great source of information and fun. For manufacturers, it is an effective tool to advertise their products. There are some worries over it, however. It takes family time away. It helps produce many overweight people. It shows too many violent scenes. Despite these disadvantages, it certainly is a good friend of many bored people.

1 What kind of house appliance is it? _____

2 Where can you find it? _____

3 How important is it in our daily life? _____

4 What is it for its users? _____

5 What is it for manufacturers? _____

6 What is one of the worries over it? _____

Brian과 친구들이 자신들의 현재 모습과 반대가 되겠다고 새해 결심을 이야기하고 있습니다. 보기의 단어를 이용해서 써 넣으시오. (필요하면 부사로 만들어 넣으시오.)

> 보기 many serious good (×2) slow early strong wise different careful

1 Pat is very careless. He is going to be very ＿＿＿＿＿＿＿＿ this year.

2 John gets up too late. He is going to ＿＿＿＿＿＿＿＿ this year.

3 Kevin eats too fast. He is ＿＿＿＿＿＿＿＿ this year.

4 Sam is too weak. He ＿＿＿＿＿＿＿＿ this year.

5 Bill behaves very foolishly. He ＿＿＿＿＿＿＿＿ this year.

6 Simon plays baseball very badly. He ＿＿＿＿＿＿＿＿ this year.

7 Tim has made very few friends. He ＿＿＿＿＿＿＿＿ this year.

8 Brian wears the same clothes every day. He ＿＿＿＿＿＿＿＿ this year.

9 Andy takes everything too easy. He ＿＿＿＿＿＿＿＿ this year.

10 Joe has bad grades in math. He ＿＿＿＿＿＿＿＿ this year.

Task4 **Editing**

Sumi가 파티가 끝난 후 모습을 묘사하고 있습니다. 밑줄 친 형용사, 부사의 표현이 잘못되었으면 이를 바르게 고치시오.

1.The oranges are <u>fresh</u> . They are <u>good-kept</u> . **2.**The water has been outside <u>too long</u> . It isn't <u>enough cool</u> . **3.**There were <u>much</u> people. <u>Almost</u> the people are gone now. **4.**The cookies taste <u>heavenly</u> . Only <u>little</u> cookies are on the table. **5.**It is <u>near</u> 9 o'clock. It's getting <u>lately</u> . **6.**I am <u>hungry</u> , for I have eaten <u>most</u> nothing. **7.**Mom worked <u>hardly</u> all morning. She feels <u>sleepily</u> . **8.**My brother ate <u>too many</u> and he doesn't feel <u>well</u> . **9.**Sora behaved so <u>different</u> that I <u>hardly</u> recognized her. **10.**The Kim twins were very <u>like</u> . They looked <u>almost same</u> .

미국에서 민간에 전해 내려오는 영웅들의 이야기입니다. 주어진 표현을 이용해서 영어로 옮겨 봅시다. (괄호 안의 형용사는 필요하면 부사로 바꿔 쓰시오.)

1 Paul Bunyan은 믿을 수 없을 만큼 힘센 나무꾼이었다. (unbelievable, logger)

2 그는 아주 작고 낡은 오두막집에서 살았다. (cottage)

3 그는 아주 쉽고 빠르게 나무를 잘랐다. (cut down)

4 크고 힘세고 배고픈 남자들이 그를 도왔다. (help)

5 Paul은 자기의 목마른 일꾼들을 위해 오대호(the Great Lakes)를 팠다.
   (dig, thirsty, crew)

6 John Henry는 엄청나게 힘센 미국의 철도 노동자였다.
   (incredible, strong, railroad worker)

7 그는 극도로 위험한 일을 했다. (do a job, extreme, dangerous)

8 그는 무겁고 긴 쇠막대들을 산 속 깊숙이 박았다. (drive, steel rod, deep, mountain)

9 그런 후 이 전설적인 남자는 거대한 바위산을 통과하는 터널을 만들었다.
   (legendary, tunnel, through, huge, rocky)

10 사실 이것들은 진짜 이야기는 아니다. (actual, real)

11 이 두 남자는 옛 이야기 속의 미국의 민간영웅이다. (folk hero, story)

최소한 두 개의 형용사와 한 개의 부사를 이용하여 자기 자신을 묘사해 봅시다.

1 I am _____ (어떤 성격인지)

2 _____ (어떤 모습인지)

3 _____ (어떤 사람이 되고 싶은지)

4 _____ (친구들은 여러분을 어떻게 생각하는지)

5 _____ (어떤 동네(neighborhood)에서 사는지)

6 _____ (시험 전에 어떤 기분인지)

7 _____ (영어를 어떻게 하는지)

8 _____ (어떤 결정을 내릴 때 어떻게 하는지)

Task7 **Paragraph Writing**

윗 문장들과 〈Bank〉의 표현들을 이용하여 친구나 가족 중 한 명을 묘사해 봅시다.

Bank

성격

kind, generous, shy, friendly, warm, cold, easygoing, quiet, reserved, introverted, extroverted, outgoing, timid, brave, active, thoughtful, noisy, talkative, pushy, bossy, rigid, caring, understanding, helpful, fussy, picky, thrifty, hot-tempered, (im)patient, cautious

모습

tall, short, average height, big, small, medium build, heavy, thin, slim, round[square/long/dark/freckled]-faced, young, old, clean, tidy, untidy, messy

결정할 때

quickly, slowly, hurriedly, carefully, wisely, foolishly, well, badly, instantly, intuitively, instinctively, emotionally, promptly, reasonably

1 미국인들의 식생활에 대한 글입니다. 주어진 표현을 이용해서 영어로 옮겨 봅시다.

1 비만은 미국에서 아주 큰 문제가 되고 있다. (overweight, problem)

_____

2 미국인의 약 1/10이 뚱뚱하다. (one tenth, fat)

_____

3 그들은 너무 많은 고기와 치즈를 먹는다. (meat, cheese)

_____

4 그들은 매초마다 약 500조각의 피자를 먹어치운다. (piece, second)

_____

5 청량음료와 커피는 그들이 가장 좋아하는 음료다. (soda pop, favorite, drink)

_____

6 초콜릿과 아이스크림은 그들에게 가장 인기있는 간식이다. (popular snack)

_____

7 반면 그들은 채소와 과일은 많이 안 먹는다. (on the other hand, vegetables, fruit)

_____

8 그들 중 많은 수가 심각한 질병을 가지고 있다. (serious disease)

_____

9 다행히 요즘 많은 미국인들이 자신들의 식습관을 바꾸려고 노력하고 있다.
(fortunately, try, diet)

_____

10 그것은 그들의 건강을 위한 좋은 신호다. (sign, health)

_____

2 자전거의 역사에 대한 글입니다. 주어진 표현을 이용해서 영어로 옮겨 봅시다.
(형용사는 필요하면 부사로 바꿔 쓸 것)

1 처음에 자전거는 나무로 만들어졌다. (wood)

_____

2 그것은 너무 크고 무겁고 느렸다. (heavy, slow)

_____

3 그것은 아주 편안하거나 안전하게 보이지 않았다. (comfortable, safe)

_____

4 당연히 그것은 인기가 별로 없었다. (popular)

_____

5 오늘날 자전거는 많은 사람들에게 아주 편리한 교통수단이다.
(convenient, means of transportation)

_____

6 바퀴는 고무로 만들어져 있고, 뼈대는 가볍지만 강하다. (wheel, rubber, frame, light, strong)

_____

7 그것은 우리를 빠르고 안전하고 편안하게 날라준다. (carry, safe, quick)

_____

8 그것은 깨끗한 교통수단이다. (clean)

_____

9 그것은 공기를 더럽게 만들지 않는다. (air, dirty)

_____

10 많은 사람들은 운동으로 자전거를 탄다. (for exercise)

_____

11 매일 보다 새롭고 보다 빠르고 보다 보기 좋은 자전거들이 생산된다. (better-looking)

_____

12 이제는 많은 도시에 자전거 도로들이 있다. (bicycle trail)

_____

생활문 쓰기 I

Writing with Grammar : 현재완료

Task1 Grammar Key Points

What is wrong?
1. I live here for five years now.*
2. Now I finished my homework.*
3. I have seen him yesterday.*
4. He has died for five years.*

1 **I *have lived* here for five years now.**

'(지금까지) ~한 적이 있다/해왔다' 등 과거부터 지금까지 일어난 일에 현재완료형(have[has]＋동사의 과거분사형)을 쓴다. 부정문은 have[has]에 not을 붙인다.

현재: 지금의 상태   현재완료: 현재까지의 일정기간 동안 일어난 일

He lives here.   He has lived here for three years. (지금까지 3년 동안)

*have[has] been -ing(~해오고 있다): 현재완료진행형. 과거부터 지금까지 계속 진행되고 있는 일

2 **Now I *have finished* my homework.**

현재완료는 현재에 중점을 둔 시제이기 때문에 '지금 ~했다'라고 하면 과거가 아닌 현재완료로 표현한다.

과거: 현재와 상관없는 지난 일   현재완료: 과거에서 연결된 현재

He arrived here.   He has just[already] arrived. (지금 막[벌써] 도착했다.)

3 **I *saw* him yesterday.**

특정 과거시점(yesterday, last year 등)은 현재완료에 쓸 수 없다. 현재완료는 과거에서 현재까지 연결된 시간 개념이므로 '기간이나 횟수' 등이 온다.

과거: 과거의 일 시점   현재완료: 기간이나 횟수

I was here yesterday .   I have been here three times . (지금까지 3번)
(three weeks ago, last month...)   (for a year, since last month, often, never...)

4 He *has been dead* for five years./He *died* five years ago.

die는 하나의 동작이기 때문에 지속되는 상태를 묘사하는 현재완료에 쓸 수 없다.

* He has gone. (그는 가고 없다.)   He has been here before. (그는 전에 여기 온 적이 있다.)

Task2 Composition

1 두 문장의 문맥이 이어지도록 괄호 안의 동사를 긍정문 또는 부정문으로 만들어 넣으시오.

1. I am a teacher. I _____ (be) a science teacher for 10 years.

2. This is my new car. I _____ (use) it since January.

3. I am at the airport. My plane _____ (just arrive).

4. I am in the air. My plane _____ (already take off).

5. He is new to me. I _____ (see) him before.

6. This is my first trip to Europe. I _____ (be) to Europe before.

7. I am still waiting. I _____ (meet) him yet.

8. We are not married. John _____ (even propose) to me yet.

2 다음 각 문장의 빈칸에 들어갈 수 없는 것을 모두 고르시오.

1. I have traveled to Europe _____ .

   a. before   b. once   c. recently   d. last year   e. often

2. She has been sick _____ .

   a. for five years b. since last year c. the other day d. this week   e. all her life

3. I haven't eaten anything _____ .

   a. today   b. last night   c. since then   d. yet   e. for the last three days

Writing Tasks

Task 1 Identifying

파키스탄 지진 이후의 기사입니다. 현재완료형 동사에 동그라미하고 과거형 동사에는 밑줄을 그으시오.

> The earthquake was horrible. It hit one of the most crowded areas in the world. Now it's over, but the area still hasn't recovered from the shock. It happened two weeks ago. But they haven't found many bodies yet. Most survivors have been living on the street for the last two dreadful weeks. Dozens of countries promised relief aid. But few have put their words into action. Winter is coming, but most victims haven't found places to stay yet.

Task 2 Reading&Writing

Jane의 편지입니다. 읽고 아래 질문에 Jane이 되어서 완전한 문장으로 답하시오.

How have you been? I have been pretty busy. There have been so many things happening since June. I have become a middle-school student. Now I go to a big school in Chicago. My family has just moved to Chicago. Our house is still disorganized. It hasn't been put in order yet. I haven't found places for some of my stuff to go. The surroundings are totally different. There are cars and buildings instead of lakes and trees. But my life hasn't changed much. I've already made some friends. I think I can survive here.

(*disorganized: 어질러진, surroundings: 주변환경)

1 How have you been?   _____
2 What has happened to you?   _____
3 What has happened to your family?   _____
4 What can you see around your house?   _____
5 Has your life changed completely?   _____
6 Has your house been put in order yet? _____
7 Have you made any friends yet?   _____

Task3 Guided Writing

어떤 작가에 대한 이야기입니다. 아래 보기에서 필요한 표현을 찾아 과거형 또는 현재완료형으로 문장에 맞게 만들어 넣으시오.

보기
win the Pulitzer Prize   travel to many countries   break her leg
be married for seven years   (not) eat anything   live there
(not) finish it   arrive there   write about women and children

1 She has two children. She _____ now.

2 She was born in Florida. _____ ever since.

3 Now the world recognizes her. _____ last year.

4 She writes novels. _____ so far.

5 She has friends in many countries. _____ in her twenties and thirties.

6 She started writing a book two years ago. _____ yet.

7 Now she is in New York. _____ two weeks ago.

8 Her leg is in a cast now. _____ yesterday.

9 Now she's very hungry. _____ today.

Task4 Editing

Sumi가 한국에 대해 쓴 글입니다. 밑줄 친 표현들 중 잘못된 것이 있으면 바로 고치시오.

Korea is a divided country. **1.**It <u>is divided</u> for more than fifty years. **2.**South and North Koreas <u>have had</u> a bloody war in 1950. **3.**Now they <u>are not</u> enemies, but they <u>didn't become</u> friends, either. **4.**They <u>just started</u> to make up. **5.**There <u>is</u> some progress made so far. **6.**Since 1988, North Korea <u>admitted</u> tourists from South Korea to its most beautiful mountain. **7.**A few South Korean companies <u>operates</u> their factories in North Korea for years. **8.**Many people <u>are</u> separate from their family since the war. **9.**They <u>didn't see</u> each other for the last fifty years. **10.**Recently they <u>met</u>, for the first time since the war.

Hurricane Katrina에 대한 이야기입니다. 주어진 표현을 이용해서 영어로 옮겨 봅시다.

1 지난 주에 hurricane이 New Orleans를 강타했다. (hit, hard)

2 올해에만 벌써 세 번의 hurricane이 있었다. (already)

3 지금까지 수백 명이 죽거나 실종되었다. (hundreds of people, missing)

4 수만 명이 집을 잃었다. (tens of thousands, lose homes)

5 그들은 지금까지 일주일째 학교에서 지낸다. (stay in schools)

6 그들은 그 동안 충분한 음식과 물이 없었다. (enough, during the days)

7 물이 아직 완전히 빠지지 않았다. (completely, drain)

8 도시는 지금 일주일째 물 속에 잠겨 있다. (be, under water)

9 그 둑은 아직 고쳐지지 않았다. (levee, be repaired)

10 경찰은 어제 15명의 생존자를 더 찾아냈다. (the police, find, survivor)

11 그것은 미국에서 최근 몇십 년 만에 최악의 재난이었다. (the worst disaster, decades)

〈Bank〉의 표현들을 이용해서 여러분의 경험에 대해 써 봅시다.

1 _____ (여러분이 오늘 이미 한 일)

2 _____ (오늘 아직 못한 일 한 가지)

3 _____ (이번 주에 한 전화 건수)

4 _____ (지금 집에서 사는 햇수)

5 _____ (어떤 친구를 안 지가 얼마나 되는지)

6 _____ (해외에 나가 본 적이 있는지, 있다면 몇 차례나 나가 보았는지)

7 _____ (최근 몇 년간 원어민과 이야기해본 적이 있는지, 있다면 언제였는지)

8 _____ (지금 사용하는 컴퓨터를 언제부터 쓰고 있는지)

Task7 **Paragraph Writing**

윗 문장들과 〈Bank〉의 표현들을 이용해서 친구나 가족 중 한 명의 경험에 대해 써 봅시다.

Bank

동사 표현
make ~ phone calls, read ~ books, live, know, go abroad, talk to a native speaker, use

한 일/못한 일
do homework, prepare for classes[tests/quizzes], return a phone call, answer a text-message, go to a private institute

시간의 표현
today, this week, this month, this year, for the last ~ days[months/years], since, never, ~ times, already, yet

생활문 쓰기 Ⅱ

Writing with Grammar : 과거완료

Task 1 Grammar Key Points

> **What is wrong?**
> 1. He worked for five years by then.*
> 2. Dinosaurs had existed millions of years ago.*
> 3. I had visited him three years ago.*

1 He *had worked* for five years by then.

과거완료형은 과거 어느 때까지 있었거나, 그 이전에 있었던 일에 쓴다.   * by then(그때까지)-과거완료 암시

과거/과거진행형: 그 당시의 상황

I worked with him then.

I was working with him then

과거완료: 기간이나 시점이 명기됨

I had worked with him <u>for years</u> then.

I had <u>never</u> worked with him <u>by then</u>.

2 Dinosaurs *existed* millions of years ago.

아무리 먼 과거라도 기준이 되는 과거시점이 없으면 그냥 과거다.

과거/과거진행형: 그 당시 시점

He was leaving. (떠나는 중이었다.)

He left then. (그때 떠났다.)

과거완료: 과거 어느 때까지 일어난 일

He had left by then. (떠나고 없었다.)

He had hardly left by then. (막 떠나려던 참이었다.)

3 I had visited him three years before.

ago(~전에)는 현재부터 거슬러 올라가는 시간이고, before는 '그때부터 ~전'의 의미이므로 과거완료에는 ago 가 아닌 before를 써야 한다. (before는 과거, 현재완료에도 쓰인다.)

> * 과거완료에 많이 쓰는 시간표현들
>   by... (by the time...), before..., when...

Task2 Composition

1 괄호 안의 동사를 과거, 과거진행형, 과거완료형 중 문장에 맞게 만드시오.

Mr. Smith is a factory worker.

1. He _____ (lose) one of his fingers last year.

2. He _____ (cut) sheets of steel at the time of accident.

3. He _____ (be) very tired at that time.

4. He _____ (work) for sixteen straight hours by then.

5. He _____ (not take) a break since the beginning of that day.

6. He _____ (need) money very badly.

7. His wife _____ (be) in the hospital for five years by then.

8. She _____ (already have) six operations by then.

9. He _____ (never have) a day off for years before the accident.

2 다음 각 문장의 빈칸에 들어갈 수 없는 것을 고르시오.

1. I had seen her _____ .
   a. by then
   b. before then
   c. once
   d. recently

2. I _____ in Paris for a year.
   a. was
   b. have been
   c. am
   d. had been

3. She had finished half the work _____ .
   a. before then
   b. by then
   c. when I was there
   d. for the last three months

4. He _____ her before.
   a. has never seen
   b. sees
   c. didn't see
   d. had hardly seen

Writing Tasks

Task 1 Identifying

해양기름 유출 사고(oil spill)현장을 회상하는 글입니다. 읽고 과거완료형 동사에 동그라미하고 과거진행형에는 밑줄을, 과거형에는 괄호를 하시오.

> The oil spill was terrible. The ship was still leaking some oil. It had been aground for ten hours by then. The whole area was covered with sticky black oil. It had already killed dozens of birds and hundreds of fish. It had also ruined the oyster bed in the area. A tugboat had just connected itself to the ship. The government workers were working hard. They had already set up some oil fences around the spill. Some were spraying chemicals over the spill.

Task 2 Reading&Writing

Jane의 편지입니다. 읽고 아래 질문에 완전한 문장으로 답하시오.

> Hi! I made a quite a scene at school the other day. I overslept that morning. I had gone to bed very late the night before. I was watching a late night movie until 2 in the morning. Anyway, I got up well past 9. My parents had already left for work. They had set the alarm clock for me. But it didn't go off. They didn't know it had been dead for days. The school bus had already left, so I rode my bicycle to school. When I hurried into the classroom, everybody laughed at me. I saw myself in the window. Guess what I saw. I was wearing pajamas!

1 Why did she oversleep that day? _____

2 What was she doing the night before? _____

3 How long had the alarm clock been dead? _____

4 Why did she ride a bicycle to school? _____

5 Where were her parents in the morning? _____

6 Why did her friends laugh at her? _____

비행기 사고로 사망한 사람들의 이야기입니다. 해당하는 표현을 보기에서 찾아 과거진행형과 과거완료형 중 하나로 만들어 쓰시오.

> **보기** travel to more than forty countries
> barely finish her greatest painting
> read the Bible
>
> (never) be married
> just enter university
> be in thirty big and small movies

1   Mr. Hunt was single.

_____ in his life.

2   Ms. Pearl was a traveler.

_____ by the time she died.

3   Mrs. Jones was an actress.

_____ by the time she died.

4   Ms. Grace went to church all her life.

_____ at the time of her death.

5   Julie was an artist.

_____ when she died.

6   Thomas was a college student.

_____ at the time of the accident.

Task 4 Editing

club house에 대한 Sumi의 글입니다. 밑줄 친 동사(구) 중 문장에 맞지 않는 것이 있으면 바르게 고치시오.

1.My friends and I had built a fancy club house last year. **2.**At first it had been a dirty old bus. **3.**It had been in the woods almost a year. **4.**At that time we had just started our reading club. **5.**We were looking for a meeting place for weeks. **6.**We have already tried several ideas, but none had worked. "How about changing it into our club house?" Sora suggested. **7.**Everybody had agreed and started working on it. **8.**When it was done, it had been a beautiful bright yellow house. **9.**It taken us a whole month to finish it. **10.**The five of us have done a great job.

작년에 아카데미상을 받은 어느 여배우에 대한 이야기입니다. 주어진 표현을 이용해서 영어로 옮겨 봅시다.

1 그녀는 19세에 배우가 되었다. (actress, at the age of)

2 그때 그녀는 미용사로 일하고 있었다. (hairdresser)

3 그때까지 그녀는 자기 마을을 떠나 본 적이 없었다. (out of her town)

4 25세 때 그녀는 톱스타와 결혼했다. (marry, top star)

5 그들은 만난 지 몇 달 되지 않았다. (hardly, months)

6 5년 후 그들은 이혼했다. (get divorced)

7 작년에 그녀는 처음으로 Oscar상을 받았다. (last year)

8 그녀는 그때 30년째 연기 생활을 했던 참이었다. (act)

9 그녀는 이미 약 100편의 영화에 출연했었다. (appear)

10 그러나 그녀는 그때까지 한 번도 주연을 해 보지 못했었다. (star)

11 그녀는 시상식장에서 초라하게 입고 있었다. (dress humbly, ceremony)

12 그녀는 그런 영광을 전혀 기대하지 않았다. (expect, glory)

13 이제 그녀는 세계적으로 유명한 배우가 되었다. (world-famous, actress)

14 지난 한 해 동안 그녀는 생애 최고로 바쁜 날들을 보냈다. (the busiest days in her life)

Task6 On Your Own

작년 설날을 생각해 보고 괄호 안에 지시된 대로 자기 자신에 대해 써 봅시다.

1 I _____ (당시 초등[중/고등]학교를 몇 년[달]째 다니고 있었는지)

2 _____ (당시 영어를 몇 년째 배우고 있었는지)

3 _____ (그때까지 영어로 일기를 써 본 적이 있었는지)

4 _____ (그 전해 내내 바랐지만 그때까지 못했던 일)

5 _____ (설날 입고 있던 옷)

6 _____ (그때까지 돈을 얼마나 저금했는지)

7 _____ (그날 새뱃돈을 얼마나 받을 것으로 기대했는지)

8 _____ (그날 만난 친척 중 그해 내내 못 만났던 사람)

Task7 Paragraph Writing

윗 문장들과 〈Bank〉의 표현들을 이용해서 작년의 설날에 대해 써 봅시다.

Bank

바랐지만 못했던 일 make up with, make friends with, improve your academic record, speak good English, lose weight, start on, finish

옷 traditional Korean clothes[dress], suit, jeans and a shirt

친척
grandfather, grandmother, (maternal/paternal) uncle, (maternal/paternal) aunt, cousin, nephew, niece

한 일 observe a family-memorial service, pay a visit to one's ancestors' graves, exchange New Year's greetings/wish each other a happy New Year, play card games[traditional games/board games], eat traditional food, talk, take a trip, go to the movies, sing Karaoke

1 자동차(car)에 대한 이야기입니다. 주어진 표현을 이용해서 영어로 옮겨 봅시다.

1 나는 작년에 이 차를 샀다. (buy)

   _____

2 그것은 중고차였다. (used)

   _____

3 나는 돈을 많이 주고 사진 않았다. (pay)

   _____

4 이 차는 지금까지 세 번 고장이 났다. (break down)

   _____

5 나는 그동안 이 차에 1,000달러 이상 썼다. (spend)

   _____

6 이번 주에 나는 차를 한 번도 못 썼다.

   _____

7 그 차는 지금 일주일째 정비소에 가 있다. (garage)

   _____

8 오늘도 나는 세 번이나 정비소에 전화를 걸었다.

   _____

9 그런데 아직도 수리가 안 끝났다. (finish)

   _____

10 그 차는 최근 1년 동안 내게 제일 큰 골칫거리다. (headache)

   _____

11 나는 그 전에 중고차를 사 본 적이 없었다. (before then)

   _____

12 나는 이 차가 한 번 크게 부서진 적이 있었던 것을 몰랐다. (badly damaged)

   _____

2 어떤 장소에 대한 글입니다. 주어진 표현을 이용해서 영어로 옮겨 봅시다.

1 그 건물은 낡은 창고였다. (warehouse)

_____

2 그것은 몇 년 동안 비어 있었다. (empty)

_____

3 작년 3월에 우리는 그곳을 처음 가 봤다. (March)

_____

4 문이랑 유리창은 이미 사라지고 없었다. (door, window, disappear)

_____

5 거기에는 벌레들과 고양이들만이 살고 있었다. (bug, cat)

_____

6 당시 우리는 실내 농구장이 필요하던 참이었다. (indoor basketball court)

_____

7 우리는 시의회에 그곳을 사용할 허가를 요청했다. (city council, ask for, permission)

_____

8 지난 주에 그곳에서 농구 시합이 있었다. (basketball match)

_____

9 마을 사람 수십 명이 와서 경기를 구경했다. (dozen, townspeople, watch)

_____

10 그들은 그 낡은 창고가 멋진 농구장으로 변해 있는 것을 보았다. (turn into)

_____

11 그때 이미 그곳에서는 몇 차례의 농구 시합이 있었다. (match)

_____

12 그곳은 이미 몇몇 사람들에게 친숙한 장소가 되어 있었다. (familiar)

_____

진행과정 쓰기

Writing with Grammar : 수동태

Task1 Grammar Key Points

What is wrong?
1. He was remained silent all morning.*
2. The money was stolen by somebody.*
3. The house was broken yesterday.* (도둑당했다.)
4. He was married last month.*
5. I was excited by the news.*

1 **He *remained* silent all morning.**

목적어가 있는 타동사만 수동태를 만들 수 있다. 자동사를 수동태로 쓰지 않도록 주의한다.

He was left alone. (leave '남기다' — 타동사)

> * 수동태로 쓰이지 않는 주요 자동사들
> seem, appear, disappear, look, remain, end, consist of, last, happen, occur, exist, fall

2 **The money was stolen.**

수동태의 행위자인 'by+행위자'는 꼭 언급할 필요가 없으면 안 써줘도 된다.

3 **The house *was broken into* yesterday.**

과거분사 뒤에 남아 있는 전치사를 잊지 않도록 주의한다. (= The house was robbed yesterday.)

I was looked at by many people. (= I was watched by many people.)

> * look[stare/laugh] at, look[wait/care/long/search] for, listen[talk/speak/say/respond] to, think[hear/talk/dream] of[about]

4 **He *got married* last month.**

get으로 시작되는 수동태는 상태가 아닌, 동작이나 상태의 변화를 뜻한다.

get married[dressed] 결혼했대[옷을 입었대] — 동작 (I am married[dressed] — 상태)

5 **I *was excited about* the news.**

형용사처럼 쓰이는 과거분사 뒤에는 by가 아닌 다른 전치사가 온다.

be interested[involved] in   be excited[worried] about
be surprised[shocked] at   be satisfied[pleased] with

Task2 Composition

1 땅콩(peanut) 공장을 견학하고 쓴 글입니다. 각 문장의 굵은 글씨 표현을 주어로 해서 수동태로 만들어 보시오. (행위자는 반드시 필요한 경우가 아니면 생략함)

1. Machines take off **the shells of the peanuts.**

   _____

2. Workers and machines check and sort **the peanuts.**

   _____

3. Now they weigh **the peanuts** into large sacks.

   _____

4. Then they make **the nuts** into peanut butter or roasted peanuts.

   _____

5. The grand size of the factory impressed **all of us.**

   _____

2 괄호 안의 표현 중 문장에 맞는 것을 고르시오.

1. He was (died/killed) in the car accident.
2. The rain (lasted/checked) for a week.
3. Many accidents are (happened/caused) by fog.
4. He was (grown up/raised) in the country.
5. The children were (remained/made) silent.
6. They (were/got) married on June 13th.
7. I am satisfied (by/with) the test result.
8. Everyone is excited (with/about) our victory.

Writing Tasks

Task 1 Identifying

'시계의 역사'에 대한 글입니다. 읽고 수동태 동사에 동그라미하시오.

The clock has a long history. The first clock was a sundial. It was used by ancient civilizations. Then water clocks, burning candles, and hourglasses were introduced. Sometime in the 1300s, the first mechanical clock appeared in Europe. Around the 1600s, the more accurate pendulum clocks were invented. In the 1800s, clocks were greatly improved by electricity. Later in the 1960s, they became more portable with the use of small batteries. Now the world's official time is told by atomic clocks. They are the most accurate of all.

Task 2 Reading&Writing

Jane이 발표한 '연필이 만들어지는 과정'입니다. 읽고 아래 질문에 완전한 문장으로 답하시오.

First, graphite and clay are mixed into a paste. For coloring pencils, dye is added to the paste. Next, the paste is squeezed into long thin pieces called leads. Then the leads are baked until they are hard.

Now wood is sliced and grooves are carved into the wood slices. Each lead is glued into a groove and another wood piece is glued on top. Then the wood is cut into separate pencils. Finally, the pencils are coated with paint in a huge rotating frame. (*graphite: 흑연, dye: 염료, groove: 홈)

1 What materials are mixed into the lead paste? _____

2 What is added for coloring pencils? _____

3 What is the next step? _____

4 How are the leads made hard? _____

5 What is carved into the wood slices? _____

6 What is the last step in making a pencil? _____

Task3 Guided Writing

보기의 표현들을 가지고 빵이 만들어지는 과정을 아래에 써 보시오. (능동태 또는 수동태)

| 보기 | wrap the bread | divide into lumps and loaves | take to the shops |
| | bake into bread | blend into a soft dough | take to a warm place |

Bread is made from four ingredients: flour, water, salt, and yeast.

1 First, the ingredients _____ in a high-speed mixer.

2 The dough _____ by a cutter.

3 The loaves _____ on trays.

4 The dough _____ in a huge hot oven.

5 Machines _____ with clear plastic sheet.

6 Finally, the bread _____ by vans.

Task4 Editing

Sumi가 쓴 콘프레이크가 만들어지는 과정입니다. 밑줄 친 표현 중 맞지 않는 것이 있으면 바르게 고치시오.

1.Cornflakes <u>are made by</u> sweetcorn. **2.**At the factory, sugar, salt, and other flavors <u>added to</u> the corn. **3.**Next, the mixture <u>is cooking</u>. **4.**Heavy rollers <u>press</u> the corn into flakes. **5.**Then the flakes <u>are toastted in</u> a giant oven. **6.**The cornflakes <u>are made</u> crispy this way. **7.**Now filling machines <u>weigh</u> the flakes into bags. **8.**The bags <u>sealed tight</u> to keep the flakes fresh. **9.**Finally conveyor belts <u>place</u> the bags into cartons. **10.**The cartons <u>are putted in</u> big cardboard cases. **11.**The thick hardboard cases <u>are protected</u> the cornflakes on the way to shops.

자동차가 만들어지는 과정에 대한 글입니다. 주어진 표현을 이용해서 영어로 옮겨 봅시다.

1 맨 먼저 자동차회사들은 시장조사를 한다. (car makers, do market research)

2 여러 가지 design들이 designer들에 의해 그려진다. (draw)

3 차의 크기와 모양이 engineer들에 의해 결정된다. (size, shape, decide)

4 이 모든 과정에는 컴퓨터가 이용된다. (entire process)

5 다음으로 engineer들이 손으로 작은 모형들을 만든다. (model)

6 처음 그 모형들은 찰흙이나 나무로 만들어진다. (clay, wood)

7 그 뒤 그 모형들은 진짜 차만큼 크게 만들어진다. (as big as)

8 다음은 진짜 재료들로 표본이 만들어진다. (prototype, build, real materials)

9 그 표본들은 다양한 시험을 거친다. (go through, various tests)

10 그것들은 벽에 부딪혀지기도 한다. (crash into walls)

11 또 그것들은 아주 추운 방이나 뜨거운 방에 놓여지기도 한다. (keep)

12 마지막으로, 그 차들은 공장에서 대량으로 생산된다. (produce, in large numbers)

13 많은 사람들이 전 과정에 연관된다. (involve, whole process)

여러분의 생활 속에서 일어나는 일들을 〈Bank〉의 표현들을 이용하여 써 보시오. 모든 문장은 수동태를 사용합니다.

1 _____ every day.

2 _____ a few times a day.

3 _____ about once a week.

4 _____ about once a month.

5 _____ about once a in a few years.

6 _____ at every turn of season.

7 _____ about every ten years.

8 _____ once or twice in a lifetime

Task7 **Paragraph Writing**

윗 문장들과 〈Bank〉의 표현들을 이용하여 여러분이 여자라면 남자에 대해, 남자라면 여자에 대해 써 봅시다.

⊂⊃ ....

⊂⊃ ....

⊂⊃ ....

⊂⊃ ....

⊂⊃ ....

⊂⊃ ....

Bank

일상생활

wash one's hair, wash one's hands, wash one's whole body, have a haircut, eat meals, clip one's nails, dye one's hair, clean the room, change the sheets on the bed, empty the wastepaper basket, paint the house, water the plants, mow the lawn, buy clothes, use the Internet, use the telephone, take exams, donate blood, make friends, choose a career, tell lies, marry

대화글 쓰기

Writing with Grammar : 의문문

Task 1 Grammar Key Points

What is wrong?
1. He has a car?/Has he a car?*
2. Had dinner yet?*
3. Who does cooks for you?*
4. Who are you talking?*
5. You have a sister, haven't you?*

1 *Does* he *have* a car?

영어의 의문문은 동사가 주어 앞으로 나온다. be동사나 조동사가 있으면 그것이 앞에 나오고, 일반동사는 현재형은 do[does], 과거형은 did가 나온다.

Are you hungry?/Have you had dinner yet? (be동사와 조동사는 주어 앞으로)
Did you have dinner?/What did you eat? (일반동사는 do[does/did]가 앞으로)

2 *Did you have* dinner yet?

우리말로는 안 나타나더라도 영어에서는 주어를 찾아 써줘야 한다.

3 Who *cooks* for you?

의문사가 주어일 때는 조동사 do가 필요 없다. (의문사 주어는 단수 취급)

What did you cook? (주어가 따로 있을 때 —do[does/did]가 필요)

4 Who are you *talking to*?

의문사가 전치사의 목적어일 때 뒤에 남은 전치사를 잊지 않는다. (to 대신 about이나 with도 가능)

What are you looking at? (What do you see?)

5 You have a sister, *don't you*?

동의나 확인을 구할 때 부가의문문을 쓴다. 부가의문문은 평서문에 의문문 꼬리를 붙인다. (꼬리는 앞 문장이 긍정이면 부정으로, 부정이면 긍정으로 하며, 꼬리에는 반드시 대명사를 쓴다.)

You have a cold, don't you? / You haven't been here, have you?

Task 2 Composition

1 괄호 안의 단어를 주어로 하여 주어진 문장을 의문문으로 만드시오.

1. You are very tall. _____ (your brother), too?

2. You have dark hair. _____ (your mother), too?

3. You lived in Spain. _____ (your entire family), too?

4. You have been to Africa. _____ (your brother), too?

5. You are going to study abroad. _____ (your friends), too?

6. You have to stay. _____ (Nancy), too?

2 여배우와의 인터뷰입니다. 밑줄 친 표현이 묻는 말이 되도록 주어진 답변에 대한 의문문을 만드시오.

1. _____ We first met in 2001 .

2. _____ Sam proposed first.

3. _____ We went to Hawaii for our honeymoon.

4. _____ I have been married for five years .

5. _____ I have two children.

6. _____ The movie was about friendship .

3 다음의 부가의문문을 완성하시오.

1. You and Sue went to the wedding, _____ ?

2. The reception was great, _____ ?

3. You and I haven't known each other for long, _____ ?

4. There is not much time left, _____ ?

5. Today is your birthday, _____ ?

Writing Tasks

Task 1 Identifying

영어연수 프로그램 시작 전 학생들에게 묻는 서면질의와 답변입니다. 질문과 답변을 짝지어 보시오.

1. What's your native language?   a. For seven years.
2. How long have you studied English?   b. No, none of them do.
3. Have you been to the US before?   c. At my aunt's.
4. Does any of your family speak English? d. Korean.
5. Where are you staying in the US?   e. Yes, just once.
6. You speak Korean with your aunt, don't you? f. Yes, I do.

Task 2 Reading&Writing

학교신문에 나온 어느 작가의 이야기입니다. 다음 기사를 읽고 인터뷰한 기자가 무슨 질문을 했을지 밑줄 친 각 문장의 굵은 글씨 부분이 묻는 말이 되도록 질문을 만들어 보시오.

1. I have been in Kentucky **for a week**, and **2.** I like it here **very much**. It's a lot like my hometown. **3.** I wrote my first book **when I was in tenth grade**. The book was not published, however. **4.** I am most interested in **nature, people, and culture**. I write about those things all the time. **5.** Right now I am working on a sailor, about **a sailor's life**. **6.** I want to tell all of you students, **"Try to know yourselves. That's the starting point."** Thank you for inviting me.

1 _____
2 _____
3 _____
4 _____
5 _____
6 _____

Guided Writing

학교 축제가 끝나고 학교신문에 실린 학생들과의 인터뷰입니다. 학생들의 답을 보고 질문자의 질문을 아래 〈보기〉에서 찾아 써 넣으시오.

> **보기** Did you do anything yourself?   How much money did you make?
> What did you like best, Sally?   What was the campaign about?
> What are you going to do with the money?
> You are interested in environmental issues, aren't you?
> How long have you spoken out about the issue?

1 _____ I liked the flea market best.

2 _____ Yes. I sold some jewelry.

3 _____ About forty dollars.

4 _____ I'm going to buy a digital camera.

5 _____ It was about animal rights.

6 _____ Since I was ten.

7 _____ Yes, I am.

Task4 **Editing**

Sumi가 설문지를 만들고 있습니다. 설문지는 학생들의 컴퓨터 사용에 관한 것입니다. 질문 중 틀린 부분이 있으면 바르게 고치시오.

Please answer the following questions.

1. How many hours a day you use computer?

2. Is there any rules about the use of computer in your home?

3. What do you use it? For games, homework, or shopping?

4. When did you last used it?

5. Have you arguments with your parents over computer?

6. What make computer interesting?

7. Who do you usually talk on line?

8. What are you most interested on line?

병원에서 의사가 치료 전에 하는 질문들입니다. 주어진 표현을 이용해서 영어로 옮겨 봅시다.

1 문제가 뭡니까? (problem)

2 잠은 잘 잡니까? (Sleep well)

3 규칙적으로 운동합니까? (exercise, regularly)

4 몸무게가 얼마입니까? (weigh)

5 채소를 많이 먹습니까? (vegetables)

6 저녁으로 주로 뭘 먹습니까? (usually)

7 하루에 커피를 몇 잔 마십니까? (drink, coffee)

8 어젯밤에 뭘 먹었습니까? (last night)

9 지금 먹고 있는 약이 있습니까? (take medication)

10 그 증상은 언제 시작되었습니까? (symptom)

11 최근에 외국 여행한 적 있습니까? (overseas trip, recently)

12 오늘 화장실에 몇 번 갔습니까? (bathroom)

13 집에 동물이 있습니까? (animals)

Task 6 On Your Own

여러분에게 미국인 친구가 있다면 어떤 질문을 가장 하고 싶나요? 묻고 싶은 질문부터 〈Bank〉에서 차례로 6개를 골라 써 넣으시오. (원하는 질문이 없으면 만들어 보시오.)

1 _____

2 _____

3 _____

4 _____

5 _____

6 _____

Task 7 Paragraph Writing

이 질문들 이외에 어떤 다른 질문을 하고 싶나요? 〈Bank〉의 질문들을 이용해서 써 보시오.

Bank

a. What do you do for fun?
b. What do you usually do with your friends?
c. How many countries have you been to?
d. Have you seen any Korean movies?
e. When was the happiest day in your life?
f. What is your dream?
g. How much money do you spend a week?
h. Do you earn money yourself?
i. How often do you attend parties?
j. What do you do at parties?
k. Do you have a girlfriend[boyfriend]?
l. What did you get for your last birthday?
m. What would you do if you had a million dollars?
n. Are there any Korean students at your school?

Extra Writing Practice

1 사고 경위를 기술하고 있습니다. 주어진 표현을 이용해서 영어로 옮겨 봅시다.

1 바위 하나가 산에서 길로 굴러 떨어졌다. (rock, roll down, mountain)

_____

2 다람쥐 한 마리가 지나가고 있었다. (squirrel, pass by)

_____

3 다행히도 그 다람쥐는 바위에 맞지 않았다. (fortunately, hit)

_____

4 그런데 지나가던 자동차 한 대가 가드레일에 부딪혔다. (crash, guard rail)

_____

5 차는 심하게 부서졌다. (damage, badly)

_____

6 그러나 운전자는 가벼운 부상만 당했다. (injure, slightly)

_____

7 그 차는 거기에 한 시간 이상 남겨져 있었다. (leave, over an hour)

_____

8 도로는 유리조각으로 덮여 있었다. (cover, pieces of glass)

_____

9 마침내 경찰과 구급차가 도착했다. (at last, police, ambulance)

_____

10 그 운전자는 구급차에 실려 병원으로 옮겨졌다. (carry, hospital)

_____

11 그 차는 경찰에 의해 견인되었다. (tow)

_____

12 그 바위와 유리조각들은 저녁까지 길에서 안 치워졌다. (clear from)

_____

2 어떤 나라에 대한 질문입니다. 주어진 표현을 이용해서 영어로 옮겨 봅시다.

1 그 나라는 어느 대륙에 위치해 있나요? (locate, continent)

   _____

2 인구가 얼마나 되나요? (population)

   _____

3 그 나라는 얼마나 큰가요? (big)

   _____

4 그 나라는 언제 생겼나요?

   _____

5 그 나라 사람들은 생업으로 주로 뭘 하나요? (for a living)

   _____

6 그들은 어떤 언어를 쓰나요? (language)

   _____

7 그 나라는 다른 나라의 지배를 받은 적이 있나요? (rule)

   _____

8 어느 나라에게서 지배를 받았나요?

   _____

9 그 나라는 전쟁을 치른 적이 있나요? (war)

   _____

10 당신은 이 나라에 가 본 적이 있나요?

   _____

11 그 나라는 어떤 나라들에 둘러싸여 있나요? (surround)

   _____

12 이번 여행에서는 얼마나 오래 거기 머물 건가요? (stay, trip)

   _____

불규칙동사 변화표

- be-was[were]-been
- become-became-become
- begin-began-begun
- bend-bent-bent
- bite-bit-bitten
- blow-blew-blown
- break-broke-broken
- bring-brought-brought
- build-built-built
- buy-bought-bought
- catch-caught-caught
- choose-chose-chosen
- come-came-come
- cost-cost-cost
- cut-cut-cut
- dig-dug-dug
- do-did-done
- draw-drew-drawn
- drink-drank-drunk
- drive-drove-driven
- eat-ate-eaten
- fall-fell-fallen
- feed-fed-fed
- feel-felt-felt
- fight-fought-fought
- find-found-found
- fly-flew-flown
- forget-forgot-forgotten
- forgive-forgave-forgiven
- get-got-gotten
- give-gave-given
- go-went-gone
- grow-grew-grown
- have-had-had
- hide-hid-hidden
- hit-hit-hit
- hold-held-held
- keep-kept-kept
- know-knew-known
- lay-laid-laid

- lead-led-led
- leave-left-left
- lend-lent-lent
- let-let-let
- lie-lay-lain
- lose-lost-lost
- make-made-made
- meet-met-met
- pay-paid-paid
- put-put-put
- read-read-read
- ride-rode-ridden
- rise-rose-risen
- run-ran-run
- say-said-said
- see-saw-seen
- sell-sold-sold
- send-sent-sent
- set-set-set
- shut-shut-shut
- sing-sang-sung
- sink-sank-sunk
- sit-sat-sat
- sleep-slept-slept
- speak-spoke-spoken
- spend-spent-spent
- stand-stood-stood
- steal-stole-stolen
- strike-struck-struck
- swim-swam-swum
- take-took-taken
- teach-taught-taught
- tear-tore-torn
- think-thought-thought
- throw-threw-thrown
- understand-understood-understood
- wake-woke-woken
- wear-wore-worn
- write-wrote-written

품사별 틀리기 쉬운 단어들

1 동사

1 자동사 – 목적어를 가져오려면 전치사가 필요한 경우

> Wait me (X) ·····⟩ **Wait for** me. (O)

· at : look(see), stare, glance, stare, smile, laugh
· for : wait, look, long, ask, call, prepare, yearn, account
· from : escape, flee, graduate, suffer
· to : listen(hear), reply(answer), say(tell), talk, speak, respond, yield
· in : believe, end, result
· on : depend, rely, count

2 자동사 – 뒤에 형용사가 보어로 와야 하는데 부사를 쓰는 경우

> He feels safely. (X) ·····⟩ He **feels safe**. (O)
> The rumor proved falsely. (X) ·····⟩ The rumor **proved false**. (O)

look, feel, sound, taste, smell, seem, appear, prove

3 타동사 – 목적어 앞에 전치사가 필요 없는데 전치사를 쓰는 경우

> Please marry with me. (X) ·····⟩ Please **marry** me. (O)

marry (with), discuss (about), accompany (with), enter (into), attend (in), greet (to),
call/tell/ask/answer (to), applaud (to), reach (to/at), survive (from/in), inhabit (in), await (for)

* 괄호 안의 전치사를 쓰지 말 것

4 수여동사로 오인하기 쉬운 경우 – 간접목적어 앞에 반드시 전치사가 필요

> Say me yes. (X) ·····⟩ Say **yes to** me. (O)
> Tell me yes. (O)

say, explain, introduce, describe, mention, suggest

* give, tell, ask, send, hand, mail, get, buy, offer, show – 수여동사로 '간접목적어＋직접목적어'가 바로 뒤따름

5 목적보어가 필요한 경우

> I made him. (X) ·····> I made him **happy**. (O)
> Leave the door. (X) ·····> Leave the door **open**. (O)

· find [keep/make/leave] + 목적어 + 목적보어(형용사)
· call [name/appoint/elect] + 목적어 + 목적보어(명사)

6 동명사를 목적어로 취하는 동사와 부정사를 목적어로 취하는 동사

> I suggest to swim. (X) ·····> I **suggest swimming**. (O)

동명사를 목적어로 취하는 동사 : enjoy, stop, finish, quit, give up, postpone, put off, delay, suggest, practice, mind, miss, understand, consider, feel like, cannot help

부정사를 목적어로 취하는 동사 : want, wish, hope, decide, expect, plan, intend, ask, promise, happen, would like, afford, determine

7 자동사 – 타동사로 오인해서 수동태로 쓰기 쉬운 경우

> The sun risen. (X) ·····> The sun **rose**. (O)

lie(lay), last(continue), exist, remain(leave), seem, appear, disappear, prove, suffer(bother), fall(drop), rise(raise), live(inhabit)

* lie (눕다: 자동사) / lay (눕히다: 타동사) : lie-lay-lain / lay-laid-laid
rise(오르다: 자동사) / raise(올리다: 타동사) : rise-rose-risen / raise-raised-raised

8 타동사 – 수동태로 써야 하는데 능동태로 쓰기 쉬운 경우

> I surprised. (X) ·····> I **am surprised**. (O)

surprise, interest, amaze, amuse, astonish, frighten, terrify, shock, excite, enchant, embarrass, disappoint, scare, bore, tire, irritate

2 명사

1 복수형을 틀리기 쉬운 경우

- –f/fe로 끝나는 단어는 -f/fe를 -v로 고치고 -es를 붙임 : leaf–leaves, knife–knives
- '자음+o'로 끝나는 단어는 -es를 붙임 : hero–heroes, tomato–tomatoes, potato–potatoes
- '자음+y'로 끝나는 단어는 -y를 -i로 고치고 -es를 붙임 : babies, cities, countries
- 단수와 복수가 모양이 같은 경우 : fish, deer, sheep, species, means, series
- 기타 : child–children, man–men, woman–women, tooth–teeth, foot–feet, crisis–crises, basis–bases, oasis–oases, datum–data, medium–media

2 셀 수 없는 명사인데, 셀 수 있는 명사로 오인하기 쉬운 경우

I bought a furniture. (X) ·····> I bought some furniture. (O)
I bought a piece of furniture. (O)

furniture(tables), equipment(tents), money(bills), change(coins), jewelry(jewels), music, scenery(scenes), poetry(poets), information(facts), advice, evidence, clothing(clothes), news, vocabulary(words), work(jobs), hardware, software
weather, rain, wind, lightning, thunder 등 날씨 관련 단어

* 괄호 안의 단어들은 셀 수 있는 명사들임

3 성 구분이 있는 명사와 성 구분 없이 써야 되는 명사

- 성 구분이 있는 명사 : prince/princess, waiter/waitress, bull/cow, rooster/hen
- 성 구분 없이 써야 되는 명사 : steward/stewardess ·····> flight attendant
  policeman ·····> police officer
  mailman ·····> mail-carrier
  chairman ·····> chairperson
  fireman ·····> firefighter

3 대명사

1 one / it

Here are some apples. Would you like **one**? (one: 정해지지 않은 하나)

Here's an apple. Would you like **it**? (it: 구체적으로 정해진 대상 하나)

2 one / some

There is some water.

Would you like **one**? (X – one은 셀 수 없는 명사를 대신하지 못함)

Would you like **some**? (O – some은 셀 수 없는 명사를 받아줌)

3 that / those

The population of Korea is bigger than **that** of Taiwan. (that: 단수 population을 대신함)

The cities of Korea are more crowded than **those** of Taiwan. (those: 복수 cities를 대신함)

4 no / none / nothing / no one

Nothing of them are alive. (X)

None of them are alive. (O – None은 all의 반대. '하나도 없는'이라는 뜻의 수량사)

No men are alive. (O – No는 형용사로 명사 앞에 쓰임)

No one is alive. (O – No one은 '아무도 없는' 이라는 뜻의 대명사)

Nothing is alive. (O – Nothing은 '아무것도' 라는 뜻의 대명사)

5 some / one / any

There are a lot of apples.

I wouldn't like some. (X – some은 부정문에 쓰지 못함)

I would like **some**. (O)

I wouldn't like **one**. (O)

I wouldn't like **any**. (O – any는 부정문에 쓰임)

4 형용사

1 서술적으로만 쓰이는 형용사 – 명사 앞에서 명사를 수식하지 못하고 보어로만 쓰임

Look at the asleep man. (X) ┈┈⟩ Look at the **sleeping** man. (O)

alive(living), asleep(sleeping), alone(lonely), alike(like), absent(missing) (a-로 시작되는 형용사)

2 한정적으로만 쓰이는 형용사들 – 보어로 쓰이지 못함

The door is wooden. (X) ┈┈⟩ It is a **wooden** door. (O)

inner, outer, wooden, golden, maiden (-en으로 끝나는 형용사)

3 서술적으로 쓰일 때와 한정적으로 쓰일 때 뜻이 달라지는 경우

the present condition(현재의 상태) / He is present.(그는 출석했다.)
certain(어떤/확실한), present(현재의/출석한), late(고(故) ~/늦은)

4 셀 수 있는 명사에만 쓰이는 형용사[수량사]들

· every, each, either, neither, one + 셀 수 있는 단수명사
· both, several, a couple of, a (large/small) number of, many, (a) few + 셀 수 있는 복수명사
· much, (a) little, a (large/small) amount of + 셀 수 없는 명사
· all, some, any, none, no, a lot of, plenty of + 셀 수 있는/없는 명사

5 특정 동사와 어울리는 형용사

go wrong[well], run cold[dry/short], fall asleep[ill], pry open, come true, break loose,
slam shut, stay[sit] still

6 특정 명사와 함께 쓰이는 형용사

expensive price (X) ┈┈⟩ **high** price (O)
many population (X) ┈┈⟩ **big[large]** population (O)

· high/low : price, temperature, altitude, salary, mountain, profile, position
· big[large]/small : number, size, scale, population, distance, crowd, audience, family, group,
class, crew, team (many를 쓰면 안 됨)
· tall/short : building, man, tree (high나 long을 쓰면 안 됨)

5 부사

1 부사 앞에는 **in/on/at** 등 특별한 뜻이 없는 전치사를 쓰지 않는다.

> He is in upstairs. (X) ·····⟩ He is upstairs. (O)

upstairs, downstairs, downtown, uptown, inside, outside, here, there, now, then, today,
yesterday, the other day, some day, one day, every day
last night, next week, this week (last, next, this가 붙은 시간 표현)

* 명사는 부사 역할을 하기 위해 전치사가 필요함: on Sunday, in the room

2 **-ly**없이도 부사로 쓰이는 경우 – 형용사와 부사의 뜻을 모두 가짐
early, late, fast, hard, high, near

3 **-ly**가 붙어 전혀 다른 뜻이 되는 경우
hard/hardly, high/highly, late/lately, near/nearly, most/mostly

4 형용사와 부사의 형태가 전혀 다른 경우
good–well, bad–ill/badly

5 주의해야 할 부사
almost/most

The
best preparation for

Writing
Miran Hong

정답 및 해석

Level 1

The more various language structures are presented,
The better language awareness is improved.

NEXUS Edu

The
best preparation for

Writing

Level 1

정답 및 해석

NEXUS Edu

영작의 기본 약속 I

Exercise

1. john → John
2. he → He
3. dog → dog's
4. talk → talk. (마침표)
5. dog → dog's, i → I
6. Its → It's
7. "How old is he" → "How old is he?" (물음표)
8. he → He, friday → Friday
9. "Tell him happy birthday for me." → "Tell him happy birthday for me," (쉼표)
10. "thank you." → "Thank you," (대문자, 쉼표)

해석
1. 나는 어제 쇼핑몰에서 존을 만났다.
2. 그는 그의 어머니와 함께 있었다.
3. 그들은 그의 개 생일을 위해 쇼핑을 하고 있었다.
4. 우리는 짧은 얘기를 나눴다.
5. "네 개 이름은 뭐니?"라고 내가 물었다.
6. "그 개는 '빅 보이'야." 하고 그가 말했다.
7. "몇 살이니?"라고 내가 물었다.
8. 그가 말했다. "금요일에 한 살이 돼."
9. "내가 생일 축하한다고 말해줘." 하고 내가 말했다.
10. 그가 "고마워."라고 말했고, 우리는 헤어졌다.

영작의 기본 약속 II

Exercise 1

1. ×
2. ×
3. ○ Today is cold.
4. ○ It is cold today.
5. ×
6. ○ Is today cold?
7. ×
8. ○ How cold is it?

Exercise 2

1. chair → a chair
2. old chair → an old chair
3. chair → chairs
4. leg → legs
5. big crack → a big crack
6. scratch → scratches
7. hour → an hour

해석
1. 이것은 의자이다.
2. 이것은 오래된 의자이다.
3. 이것들은 오래된 의자들이다.
4. 그것은 다리가 3개이다.
5. 뒤에 커다란 금이 하나 있다.
6. 좌석에 많은 긁힌 자국들이 있다.
7. 쇼핑할 시간이 한 시간 있다. 가자.

Exercise 3

1. We
2. It
3. They
4. He
5. you

해석
1. 제인과 나는 친구야. 우리들은 반친구이기도 해.
2. 이곳은 그 애의 집이야. 그 집은 우리 집 옆에 있어.
3. 그 애의 부모님은 선생님이셔. 그분들은 좋은 분들이야.
4. 그 애는 남동생이 있어. 그 애는 아주 귀여워.
5. 너와 그 애는 같은 반이니? 너희는 서로 아는 사이니?

Exercise 4

1. Do you have a pet?
2. Is it a dog?
3. How long have you had him?
4. When did you get him?
5. Is there a problem with him?
6. What does he like to eat?

해석
1. 넌 애완동물이 있니?
2. 그것은 개니?
3. 넌 그 개를 얼마동안 길러 왔니?
4. 그 개를 언제 얻었니?
5. 그 개한테 무슨 문제가 있니?
6. 그 개는 뭘 먹길 좋아하니?

문장의 구조

Exercise 1

1. jog
2. my dog
3. fine
4. The park
5. many people
6. happy

해석
1. 나는 매일 공원에서 조깅을 한다.
2. 나는 내 개를 데리고 간다.
3. 오늘은 날씨가 좋다.
4. 공원은 아름답다.
5. 공원에는 사람들이 많지 않다.
6. 나는 내 개도 기분이 좋다는 걸 안다.

Exercise 2

1. every morning
2. early
3. fresh
4. never
5. early
6. there

1. 케빈은 매일 아침 걷는다.
2. 그는 일찍 일어난다.
3. 그는 신선한 공기 속에서 걷는 것을 좋아한다.
4. 그는 운동을 빼먹는 일이 결코 없다.
5. 그는 진정한 아침형 인간이다.
6. 봐라! 그가 저기서 걷고 있다.

Exercise 3

1. a dream – 3문형
2. at a zoo – 1문형
3. many animals – 1문형
4. very happy – 2문형
5. all of the animals – 5문형
6. looked – 1문형
7. eight legs – 3문형
8. came – 1문형
9. in terror – 1문형
10. wide awake – 5문형

해석

1. 나는 지난 밤에 꿈을 꾸었다.
2. 나는 동물원에 있었다.
3. 동물원에는 많은 동물들이 있었다.
4. 처음에 나는 아주 행복했다.
5. 그러나 그때 나는 그 동물들이 모두 이상하다는 것을 알았다.
6. 어떤 동물은 곰 같이 보였다.
7. 그러나 그것은 다리가 8개였다.
8. 그것은 나에게 다가왔다.
9. 나는 무서워서 소리질렀다.
10. 그것은 나를 완전히 잠에서 깨게 했다.

UNIT 01 소개하는 글쓰기

Writing with Grammar : Be동사

Task2 Composition

1
1. is Sarah Jones
2. am from England
3. is in fifth grade
4. are nice and friendly
5. are a happy family

2
1. He is my best friend.
2. It is not his last name.
3. She is a good neighbor, too.
4. We are not cousins.
5. You are like brothers.

3
1. They're not (They aren't)
2. It's not (It isn't)
3. She's not (She isn't)
4. It's not (It isn't)
5. We're not (We aren't)

해석

1
1. 내 이름은 새러 존스다.
2. 나는 영국 출신이다.
3. 남동생 브라이언은 5학년이다.
4. 우리 부모님은 상냥하고 친절하시다.
5. 우리는 행복한 가족이다.

2
1. 얘는 데이비스다. 그는 나의 가장 친한 친구다.
2. 데이비스는 그의 이름이다. 그것은 그의 성이 아니다.
3. 데이비스의 엄마는 내 선생님이시다. 그분은 좋은 이웃이기도 하다.
4. 데이비스와 나는 친구다. 우리는 사촌이 아니다.
5. 데이비스와 너 그리고 빌은 아주 닮았어. 너희들은 형제 같아.

3
1. 후안과 카르멘은 멕시코에서 왔다. 그들은 브라질에서 오지 않았다.
2. 후안이 가장 좋아하는 운동은 축구다. 그것은 미식축구가 아니다.
3. 카르멘은 미국에 혼자 있다. 그녀는 가족과 같이 있지 않다.
4. 카르멘의 영어는 괜찮다. 그것은 이제 그렇게 나쁘지 않다.
5. 카르멘과 나는 같은 반이다. 하지만 우리는 별로 친하지 않다.

Writing Tasks

Task1 Identifying

He is a Chinese actor in Hollywood. He's very good at the Chinese martial art, Kung-fu. He is also very funny. Now he isn't so young; he's in his fifties. But he is still popular in the US and Asia. His movies are full of action and humor. I am a big fan of his.

해석

그는 할리우드의 중국인 배우다. 그는 중국 무술 쿵푸에 아주 능하다. 그는 또 아주 웃기다. 이제 그는 그렇게 젊지 않다. 그는 50대이다. 그러나 그는 여전히 미국과 아시아에서 인기가 많다. 그의 영화는 액션과 유머로 가득차 있다. 나는 그의 열렬한 팬이다. (정답: 성룡)

Task2 Reading&Writing

1. My last name is Lee. / It is Lee.
2. I am thirteen years old.
3. I am in seventh grade.
4. I'm good at music and art.
5. They are dark brown.
6. No, they aren't. Only my mother is Korean.

수미에게.

안녕! 내 이름은 제인 리야. 나는 한국계 미국인이야. 우리 아버지는 미국인이시고 우리 엄마는 한국계 미국인이야. 엄마는 미국에서 태어났어. 하지만 우리 조부모님은 한국에서 오셨어. 나는 열세 살이고 7학년이야. 나는 다정한 가족과 좋은 친구들이 많이 있어. 나는 학교에서는 음악과 미술을 잘 해. 난 우리 엄마를 닮았어. 내 머리는 진한 갈색이고 내 눈도 진한 갈색이야. 나는 키가 별로 안 커. 너는 나의 첫 한국인 친구야. 나는 너를 알게 돼서 기뻐. 금방 편지해줘.

제인

1. 네 성은 뭐니?
2. 넌 몇 살이니?
3. 넌 몇 학년이니?
4. 너는 어떤 과목을 잘 하니?
5. 너의 눈은 무슨 색이니?
6. 너의 부모님은 모두 한국인이니?

Task3 Guided Writing

1. Bill Gates is an American businessman.
2. Beijing and Shanghai are Chinese cities.
3. New York is in the United States.
4. Bees are insects.
5. Math and science are school subjects.
6. An orange is a fruit.
7. Tokyo is in Japan.

해석

1. 빌 게이츠는 미국인 사업가이다.
2. 베이징과 상하이는 중국의 도시다.
3. 뉴욕은 미국에 있다.
4. 꿀벌은 곤충이다.
5. 수학과 과학은 학과목이다.
6. 오렌지는 파일이다.
7. 도쿄는 일본에 있다.

Task4 Editing

1. are → is
2. is no → is not
3. He small → He is small
4. late thirties → in his late thirties
   (late thirties는 '30대 후반'이란 뜻)
5. a fun. → fun (fun은 형용사. a를 붙일 수 없음)
6. a → an (모음 앞에서는 an)
7. never → is never
8. They are → It is (His class를 받음)
9. his fan → his fans (주어 friends와 수가 맞아야 함)
10. are his class → are in his class

해석

[1]존스 선생님은 우리 선생님이시다. [2]그분은 키가 크지 않다. 그분은 잘생기지도 않다. 그분은 젊지도 않다. [3]그분은 작고 평범하게 생겼다. [4]그분은 30대 후반이고 아직 독신이다. 하지만 그분은 우리 학교에서 가장 인기있는 선생님이다. [5]그분은 재미있다. 그분은 상냥하다. 그분은 또한 재치있다. [6]그분은 훌륭한 선생님이다. [7]그분의 수업은 절대로 지루하지 않다. [8]그것은 유머로 가득하다. 그분의 가르침은 명쾌하고 정확하다. [9]내 친구들 모두가 이제는 그분의 팬이다. [10]그들은 지금 그분의 수업을 듣고 있다.

Task5 Sentence Writing

1. My last name is Kim.
2. I am in the first year of middle school./I'm in the sixth[seventh] grade. (미국에서는 중1을 주에 따라 seventh grade 또는 sixth grade라고 한다.)
3. You and I are the same age.
4. My eyes and hair are dark brown.
5. I am not very tall.
6. My favorite subjects are math and science.
7. I am not good at English.
8. But I am happy at school.
9. My best friend is Mira.
10. She and I are not in the same class.
11. We are neighbors, too.
12. Her house is near my house[near mine].
13. You are my first pen pal.
14. I am glad to know you.

Task6 On Your Own

1. *My name is _____ .*
2. I am in _____ (fourth/fifth/sixth) grade./I am in the (first/second/third) year of middle school.
3. My favorite subject is _____ .
4. I am good at _____ .
5. My hobby is _____ ./My favorite pastime is _____ ./I _____ in my free time.
6. My father is a(n) _____ .
7. He is in his _____ (early/mid/late) (thirties/forties/fifties).

Bank

과목
수학, 영어, 과학, 사회, 음악, 미술, 체육

취미/잘하는 일
운동, 요리, 수영, 여행, 독서, 그림 그리기, 테니스[야구/농구]하기, 영화 보기, TV 보기, 음악 감상, 피아노 연주, 컴퓨터 게임하기, 인터넷 채팅하기, 전화 통화하기, 쇼핑하기, 친구들과 돌아다니기

직업
교사, 의사, 간호사, 농부, 변호사, 작가, 비행기 조종사, 비행기 승무원, 기술자, 경찰관, 공무원, 가게주인, 운동선수, 기자, 사업가, 미술가, 음악가, 판매원, 정비사, 남재[여재]배우, 과학자, 제빵사, 요리사, 목수, 공장 노동자/사무실 노동자

Writing with Grammar : There is[are]

Task2 Composition

1
1. A: There is　　　　B: in the middle of
2. A: There are　　　 B: around
3. A: There are　　　 B: on
4. A: There is　　　　B: under
5. A: There is　　　　B: against, next to

2
1. across from　　　　2. past
3. behind　　　　　　 4. in front of
5. around

3
1. It　　　　2. There　　　　3. It
4. There　　5. There

해석

1
1. 방 한가운데 탁자가 있다.
2. 탁자 주위에 5개의 의자가 있다.
3. 탁자 위에 컵이 몇 개 있다.
4. 탁자 밑에 쓰레기가 조금 있다.
5. 창문 옆 벽 앞에는 책장이 있다.

2
1. 도서관 건너편에는 은행이 있다.
2. 은행을 지나서 식당이 있다.
3. 도서관 뒤에는 주차장이 있다.
4. 은행 앞에는 건널목이 있다.
5. 모퉁이 부근에 극장이 있다.

3
1. 네 차는 어디 있니? 정비소에 있어.
2. 무슨 일이야? 모퉁이 부근에서 자동차 사고가 일어났어.
3. 저기에 누구야? 존이야.
4. 네 새 아파트는 어때? 전망이 아주 좋아.
5. 뭐가 잘못됐어? 수프에 파리가 들어 있어.

Writing Tasks

Task1 Identifying

What <u>is</u> your town like? Mine <u>is</u> very small. It <u>is</u> (in a suburb of Chicago). There <u>are</u> only about two thousand people living (in here). There <u>are</u> not any tall buildings. There <u>is</u> not a big shopping mall either. But there <u>is</u> an old museum. There <u>are</u> pretty parks (here and there). My home <u>is</u> (near the smallest park). (Between my home and the park) <u>is</u> a beautiful walking trail. Next time I <u>'ll</u> send you a photo of my town. Bye for now.

해석

너의 마을은 어떠니? 우리 마을은 아주 작아. 그것은 시카고 근교에 있어. 여기는 2천 명 정도 밖에는 안 살아. 높은 건물은 하나도 없어. 큰 쇼핑몰도 없고. 하지만 오래된 미술관은 있어. 여기저기에 예쁜 공원들이 있어. 가장 작은 공원 근처에 우리 집이 있어. 우리 집과 공원 사이에는 아름다운 산책로가 있어. 다음번에 우리 마을 사진을 보내 줄게. 지금은 안녕.

Task2 Reading&Writing

1. It is against the wall next to the door.
2. No, there isn't. The piano is opposite the sofa.
3. It is in front of the wall between the windows.
4. There is a coffee table in front of the sofa./A coffee table is (in front of the sofa).
5. No, there is a picture on the wall above the piano.
6. It is in the corner between the piano and the bookcase.

해석

문 옆 벽에 기대어 소파가 있다. 그리고 소파 반대쪽 벽에는 피아노가 있다. 두 개의 협탁이 있는데, 하나는 소파와 출입문 사이에, 다른 하나는 소파와 창문 사이에 있다. 그리고 책장은… 창문 사이의 벽 앞에 책장이 있다. 소파 앞에는 커피테이블이 있다. 피아노 위쪽 벽에는 그림이 하나 있다. 피아노와 책장 사이 모퉁이에는 TV가 있다.

1. 소파는 어디 있는가?
2. 책장 반대쪽에 피아노가 있는가?
3. 책장은 어디 있는가?
4. 소파 앞에는 무엇이 있는가?
5. 피아노 위쪽 벽에는 시계가 있는가?
6. TV는 어디에 있는가?

Task3 Guided Writing

1. It is a great two-bedroom apartment in Melrose.
2. There is a dishwasher. There are washing machines and dryers in the building.
3. There are a swimming pool and a tennis court nearby.
4. It is near the subway, train, and stores.
5. is $1,200 a month with heat, gas, and water included.

해석

세 놓습니다

1. 멜로즈에 있는 멋진 방 두 짜리 아파트임
2. 식기세척기가 있고, 건물에는 세탁기와 건조기가 있음
3. 인근에 수영장과 테니스장이 있음
4. 지하철과 기차, 및 상점들이 인접해 있음
5. 난방과 가스, 수도세 포함하여 한 달에 1,200달러.
   962-2451로 낸시에게 전화 주세요.

Task4 Editing

1. It is → There are/It has
2. There is → There are
3. there is → there are
4. there → it
5. There beautiful → There is a beautiful
6. more than → there are more than
7. 틀린 곳 없음
8. It is → There is
9. There → It
10. 틀린 곳 없음

해석

서울은 방문하기 좋은 곳이다. **1.**높은 건물들이 많이 있다. **2.**거기에는 천만 명 이상의 사람들이 살고 있다. **3.**길에는 항상 많은 차들이 있다. **4.**맞다, 그곳은 아주 붐빈다. 그러나 그곳에는 경치가 아름다운 곳이 많이 있다. **5.**도시를 가로질러 아름답고 긴 강이 흐르고 있다. **6.**그리고 10개가 넘는 멋진 다리들이 그 위에 있다. **7.**도시를 빙 둘러 아름다운 산들이 있다. 그곳은 또한 아주 안전하다. **8.**노상 범죄가 별로 없다. **9.**그곳은 미국의 도시들과 다르다. **10.**가장 좋은 것으로는 서울에는 좋은 사람들이 아주 많이 살고 있다. 당신은 그곳이 마음에 들 것이다!

Task5 Sentence Writing

1. My home is in a big city.
2. There are many high-rise apartment buildings.
3. There are many cars on the street all the time.
4. There's a subway station in front of my home[apartment].
5. There are not many trees or flowers.
6. There's a department store across from my home.
7. There is a church to the right of my home.
8. There are small parks here and there.
9. But there is not a lake./There are not any lakes.
10. How many cinemas are there?
11. There are three of them.
12. My town is not a beautiful place.
13. But it is convenient.
14. Everything is nearby.

Task6 On Your Own

1. *My home is* in the country[city].
2. It is in the _____ of Korea.
3. There are _____ (small hills/farms/lakes).
4. It is[They are] to the _____ of my home.
5. There is[are] _____ cinema(s).
6. There is (not) a subway.

---

7. There is[are] _____ in front of my home.
8. There is[are] _____ behind it.

Bank

위치
시골에, 농장에, 도시에, 산에, 바다 가까이에, 도시 근교에

장소의 전치사들
~ 위에, ~ 안에, ~ 옆에(next to, by, near, beside), ~의 앞에, ~ 뒤에, ~의 한가운데에, ~의 맞은편에, ~의 반대쪽에, ~ 주위에, 오른쪽[왼쪽/동쪽/서쪽/남쪽/북쪽/남동쪽/남서쪽/북동쪽/북서쪽]에

자연 지형물
강, 호수, 산, 언덕, 바다, 시냇물

동네 관련 단어
공원, 학교, 호텔, 식당, 약국, 서점, 장난감 가게, 식품점, 슈퍼마켓, 놀이터, 영화관, 교회, 백화점, 소방서, 경찰서, 기차역, 지하철역, 버스 정류장, 아파트 단지, 아파트 건물(동), 주차장, 수영장, (공공) 도서관, 대학교, 상가, 스포츠 단지, 테니스 코트, 골프장, 고속도로

Extra Writing Practice UNITS 1 & 2

1
1. Michael Smith is very rich.
2. He is in his late thirties.
3. He is not married yet.
4. His house is in a suburb of New York.
5. There is a golf course in front of his house.
6. There are tall trees around his house.
7. He is not good at sports.
8. But he is good at board games.
9. There are all kinds of board games in his house.
10. His favorite game is chess.
11. The floor of his bedroom is a giant chess board.
12. Most of the books in his house are about chess.

2
1. Chicago is the third largest city in the US.
2. It is in the midwest of the States. ('미국'은 the USA, the US, 또는 the States라고도 함)
3. It is on Lake Michigan. (on은 강이나 호수 등에 연해 있는 상태에 씀)
4. It is a very dynamic city. (a를 빠뜨리지 말 것)
5. It is also a typical American city.
6. There are many industries there.
7. In the downtown of the city are the world's tallest buildings./There are the world's tallest buildings in the downtown of the city.
8. There are two professional baseball teams in Chicago.
9. They are the Cubs and the White Sox.

10. The Cubs is the team of the Northside of Chicago.
11. Most of Chicago's African Americans are (living) in the southside. (주어는 Most로 복수로 받음)
12. They are big fans of the White Sox. / They are the White Sox's biggest fans. (fan에 -s를 빼먹지 말 것)

지시하는 글쓰기

Writing with Grammar : 명령문

Task2 Composition

1
1. Do not litter.
2. Don't cross the road.
3. Stop.
4. Be careful; the road may be slippery.
5. Turn left here.
6. Do not enter.
7. Smile; be happy.
8. Drive less than 30 miles per hour.

2
1. go straight down this street
2. take the second right
3. go three more blocks
4. Take the elevator

해석

1
1. 쓰레기를 버리지 마시오.
2. 길을 건너지 마시오.
3. 멈추시오.
4. 조심하시오. 길이 미끄러울 수 있습니다.
5. 여기서 왼쪽으로 도시오.
6. 들어가지 마시오.
7. 웃으시오. 기뻐하시오.
8. 시속 30마일 미만으로 운전하시오.

2
1. 먼저 이 길을 죽 따라 내려가세요.
2. 그런 다음 두 번째 길에서 오른쪽으로 도세요.
3. 다음에 세 블록을 더 가세요
4. 왼쪽에 은행이 보일 겁니다. 엘리베이터를 타세요. 제 사무실은 4층에 있습니다.

Writing Tasks

Task1 Identifying

1. Get lots of rest.
2. Drink a lot of water.
3. Wash your hands often.
4. Cover your mouth when you cough.

해석
1. 휴식을 충분히 취하세요. / 밖에 나가 신선한 공기를 마시세요.
2. 물을 많이 마시세요. / 여분의 에너지를 위해 고기를 더 많이 먹으세요.
3. 찬물로 몸을 씻으세요. / 손을 자주 씻으세요.
4. 기침할 때는 입을 가리세요. / 친구들과 절대 이야기하지 마세요.

Task2 Reading&Writing

1. one glass with black paper, and the other with white paper.
2. Fill each glass with the same amount of water.
3. Put both glasses in a sunny spot.
4. Leave them there for at least an hour.
5. Then put the thermometer into each glass and check the temperature.
6. Write your findings on the chart.

해석
1. 유리컵 하나는 검은 종이로, 다른 하나는 흰 종이로 감으시오.
2. 각각의 유리컵을 같은 양의 물로 채우시오.
3. 두 개의 유리컵을 햇볕이 잘 드는 곳에 두시오.
4. 그것들을 거기에 최소한 한 시간을 두시오.
5. 그런 다음 온도계를 각각의 유리컵에 넣고 온도를 확인하시오.
6. 차트에 결과를 쓰시오.

Task3 Guided Writing

1. break two eggs
2. Don't use
3. add
4. mix the ingredients
5. put the bag
6. leave the bag
7. turn the bag

해석
1. 먼저 튼튼한 지퍼백에 달걀 두 개를 깨 넣으세요.
2. 구멍이 난 봉지는 쓰지 마세요.
3. 다음에 약간의 소금과 후추를 첨가하세요.
4. 그런 후, 재료들을 지퍼백 안에서 섞으세요.
5. 그런 다음, 봉지를 끓는 물이 담긴 냄비에 넣으세요.
6. 이제 봉지를 끓는 물 속에 15분 동안 두세요.
7. 마지막으로, 봉지를 뒤집어 달걀을 꺼내 먹으세요.

Task4 Editing

1. Don't late → Don't be late
2. Careful → Be careful
3. Keeping → Keep
4. 틀린 곳 없음
5. Be not → Don't be
6. 틀린 곳 없음 (do는 강조의 역할)
7. On time → Be on time
8. 틀린 곳 없음
9. 틀린 곳 없음 (You는 상대방을 강조해서 지칭할 수 있음)
10. to learn → learn (to 삭제)

해석

1. 학교에 늦지 마라. 서둘러라!
2. 차조심해라.
3. 손을 깨끗이 해라
4. 항상 숙제를 먼저 해라.
5. 바보 같이 굴지 마라. 현명해라.
6. 정말로 조용해 해라.
7. 수업 시간에 맞춰 와라.
8. 적절한 이유 없이 수업을 빼먹지 마라.
9. 손들어라!
10. 다른 사람들이 배우도록 해줘라. 수업 시간에는 떠들지 마라.

Task5 Sentence Writing

1. Answer the question.
2. Follow the instructions.
3. Find the missing words.
4. Put the pictures in order.
5. Circle the wrong words.
6. Choose the right words and write them in the blank.
7. Fill in the sentence.
8. Write the sentence on the line below.
9. Draw lines from the questions to the answers.
10. Add the two numbers.
11. Take away three.
12. Cut out the picture.

Task6 On Your Own

1. Be quiet./Don't make a noise.
2. Give me a minute./Give me a break./Let me think for a minute.
3. Do me a favor, please.
4. Hurry up./Do hurry./Be quick.
5. Leave me alone.
6. Mind your own business./Don't bother

me./Leave me alone.
7. Be sure to make it this time./Be on time.
8. Be honest.

Bank

기다려.	잘 자.	내 부탁 좀 들어줘.
나에게 시간 좀 줘.	나에게 시간 좀 줘.	날 좀 내버려 둬.
네 일이나 신경 써.	가서 가져와.	들어봐.
어지르지 마.	서두르지 마.	상관 마.
내가 널 도울게.	나를 보내줘.	내가 해볼게.
조용히 해.	착하게 굴어.	정직해라.
나를 따라 말해라.	먼저 손을 들어라.	이번에는 제 시간에 와/해내라.
내 질문에 대답해라.	나에게 주목해라.	책을 펴라.
숙제를 해라.	시험 준비 잘 해라.	보고서를 월요일까지 제출해라.
수업에 늦지 마라.	조용히 해라.	수업 시간에 얘기하지 마라.

UNIT 04 일상생활 이야기하기

Writing with Grammar : 단순현재

Task2 Composition

1
1. covers
2. don't have
3. holds
4. use
5. has
6. doesn't rain

2
1. doesn't usually wear pants
2. doesn't like meeting people
3. She is not easy-going.
4. She has many secrets.
5. She hardly says no.
6. She never lets others know what's on her mind.

3
1. have → has
2. carrys → carries
3. let → lets
4. isn't hardly → is hardly

해석

1
1. 물은 지구의 대부분을 덮고 있다.
2. 하지만 우리는 충분한 물이 없다.
3. 왜? 바다가 대부분의 물을 갖고 있기 때문이다.
4. 게다가 사람들은 민물을 사용하지 바닷물을 쓰지 않는다.
5. 지구는 점점 더 민물이 줄어들고 있다.
6. 몇몇 지역에서는 예전만큼 비가 오지 않는다.

2
1. 나는 보통 바지를 입는다. 캐런은 보통 바지를 입지 않는다.
2. 나는 사람 만나는 것을 좋아한다. 그녀는 사람 만나는 것을 좋아하지 않는다.
3. 나는 태평하다. 그녀는 태평하지 않다.
4. 나는 비밀이 별로 없다. 그녀는 비밀이 많다.

5. 나는 가끔 아니라고 말한다. 그녀는 아니라고 거의 하지 않는다.

6. 나는 다른 사람들에게 내 마음을 알려 준다. 그녀는 절대 다른 사람들에게 자기 마음을 알려주지 않는다.

3 1. 존은 새 디지털 카메라를 가지고 있다.
2. 그는 그것을 어디나 가지고 다닌다.
3. 그는 절대로 다른 사람들이 그것을 못 만지게 한다.
4. 그는 관대하지 않다.

Writing Tasks

Task1 Identifying

Carol Baker <u>is</u> a kindergarten teacher. She <u>teaches</u> twenty young children at Little Creek Elementary School. The class <u>begins</u> at 8:30. But she usually <u>arrives</u> at school around 7:30. Then she <u>prepares</u> the lessons for the day. The children keep her very busy all day. They usually play games and learn new things. But they don't always listen to her. Sometimes they fight or cry. After school she <u>attends</u> meetings and <u>prepares</u> lessons. She <u>loves</u> her job but it <u>is</u> hard work.

해석

캐럴 베이커는 유치원 선생님이다. 그녀는 리틀 크릭 초등학교 유치원에서 스무 명의 어린 아이들을 가르친다. 수업은 8시 30분에 시작한다. 하지만 그녀는 보통 학교에 7시 30분경에 도착한다. 그런 후 그녀는 그날 하루를 위해 수업을 준비한다. 아이들은 하루 종일 그녀를 바쁘게 한다. 그애들은 보통 게임을 하고 새로운 것들을 배운다. 하지만 아이들이 항상 그녀의 말을 듣는 것은 아니다. 가끔 그애들은 싸우거나 운다. 학교가 끝나고 그녀는 회의에 참석하고 수업을 준비한다. 그녀는 자기 직업을 사랑하지만 그것은 힘든 일이다.

Task2 Reading&Writing

1. She wakes up at 7.
2. She usually eats cereal or toast with milk for breakfast.
3. She usually goes to school by bicycle.
4. She has five classes a day.
5. It ends at 3:30.
6. She chats on line with her friends or listens to music.

해석

너의 하루는 어떠니? 나는 7시에 자명종 시계 소리에 일어나. 나는 가벼운 아침식사를 해. 나는 보통 시리얼이나 토스트를 우유와 함께 먹어. 학교가 그리 멀지 않아서 나는 학교버스를 타지 않아. 대부분 나는 자전거를 타고 학교에 가. 나는 학교에 8시경에 도착해. 나는 하루에 5교시가 있어. 학교는 3시 30분에 끝나. 방과후에 나는 개인강습을 몇 개 들어. 저녁에는 인터넷으로 친구들과 채팅을 하거나 음악을 들어. 나는 10시에 잠자리에 들어.

1. 제인은 몇 시에 일어나나요?
2. 그녀는 아침으로 보통 뭘 먹나요?
3. 그녀는 보통 어떻게 학교에 가나요?
4. 그녀는 하루에 수업이 몇 교시가 있나요?
5. 학교는 몇 시에 끝나나요?
6. 그녀는 저녁에 뭘 하나요?

Task3 Guided Writing

1. always walks on the track,
   doesn't walk in the gym
2. She often teaches part time at the community center,
   doesn't teach full time there
3. She occasionally works at the hospital as a volunteer,
   She doesn't work for money there.
4. She sometimes goes to the gym for aerobics class, She doesn't go to the gym very often.
5. She always goes to the grocery store with her family,
   She never goes to the grocery store alone.

*community center 지역사회학교   volunteer 자원봉사자

해석

1. Mrs. Lee는 월요일에는 항상 트랙에서 걷는다.
   그녀는 체육관에서 걷지 않는다.
2. 그녀는 화요일에는 종종 마을회관에서 시간제로 가르친다.
   그녀는 그곳에서 전일제로 가르치지 않는다.
3. 그녀는 수요일에는 가끔 병원에서 자원봉사를 한다.
   그녀는 그곳에서 돈을 벌기 위해 일하지 않는다.
4. 그녀는 목요일에는 가끔 에어로빅 강습을 받으러 체육관에 간다.
   그녀는 그곳에 별로 자주 가지 않는다.
5. 그녀는 금요일에는 항상 가족들과 함께 시장을 보러 간다.
   그녀는 절대 혼자서는 시장을 보러 가지 않는다.

Task4 Editing

1. always is → is always
2. play → plays
3. don't knock → doesn't knock
4. trys → tries
5. sometimes → sometimes he/he sometimes, break → breaks
6. doesn't always say → never says
7. hardly doesn't do → hardly does (hardly와 not을 같이 쓰지 않음)
8. doesn't knows → doesn't know
9. am not understand → don't understand
10. not → is not

해석

[1]내 동생은 언제나 나에게 큰 골칫거리다. [2]그 애는 늘 내 방에서 논다. [3]그

9

애는 내 방문을 노크하지 않는다. ^{4.}그 애는 내 방의 모든 새 물건을 손대 본다. ^{5.}그리고 가끔 내가 좋아하는 물건을 부수기까지 한다. ^{6.}하지만 그 애는 절대 미안하다고 하지 않는다. 단 한 번도. ^{7.}우리 엄마는 거기에 대해 거의 아무것도 하지 않으신다. ^{8.}엄마는 자기가 그 애를 버릇없게 만들고 있다는 것을 모르신다. ^{9.}나는 엄마를 이해할 수 없다. ^{10.}그 애는 어리지 않다. 그 애는 이미 아홉 살이다.

Task 5 Sentence Writing

1. We sell pop corn at the end of the year.
2. My mother always helps me with the annual event.
3. We usually get together once a week.
4. We always go camping in the summer.
5. I learn a lot in Girl Scouts.
6. Our troop leader knows a lot about many things.
7. He often explains about wildlife to us.
8. Sometimes he fixes meals for us.
9. He is not our teacher. He is our neighbor.
10. He doesn't earn money there.
11. He volunteers for us.
12. He runs a restaurant downtown.
13. He never shouts at us.
14. We all like him.

Task 6 On Your Own

1. *I usually _____ in my free time.*
2. I sometimes _____ early in the morning.
3. I don't _____ before bed.
4. I never _____ before tests.
5. I _____ when I study.
6. I make _____ phone calls a day.
7. I send _____ text messages a day.
8. I often _____ for my mother.

Bank

나쁜 습관
연필을 씹다, 손톱을 깨물다, 머리를 잡아당기다, 손가락으로 펜을 돌리다, 공상에 잠기다

아침에 하는 일
신문을 읽다, 운동하다, 주스를 마시다, 조깅하다, 음악[영어 테이프]을 듣다, 공부하다

자기 전에 안 하는 일
간식[단것/초콜릿/아이스크림]을 먹다, 이를 닦다, 샤워[목욕]를 하다, 스트레칭[운동]을 하다, 명상을 하다

집안 일
설거지[세차]하다/개목욕을 시키다, 집[식탁/방]을 치우다, 상을 차리다, 잔디를 깎다, 개를 산책시키다, 이불을 개다, 자기 동생을 돌보다

1
1. Save energy. Don't waste it.
2. Don't take a bath. Take a short shower.
3. Don't put hot food in the refrigerator. Let it cool off outside.
4. Don't try to be too clean. Save water.
5. Use both sides of paper. Think of trees cut down.
6. Don't turn on the heater. Put on warm clothes instead.
7. Don't throw away empty bottles, paper, and cans. Recycle them.
8. Be wise. The earth doesn't have much resources.
9. Be nice to the earth. Let the earth last long.
10. Walk short distances. It makes you healthy.

2
1. Mr. Lee works five days a week.
2. He goes to work by subway.
3. He always meets many people at work.
4. He usually makes over thirty phone calls a day.
5. He usually works indoors.
6. He doesn't walk around much.
7. His office is downtown.
8. He rarely[hardly] exercises during the week.
9. He doesn't get much fresh air.
10. Sometimes he has a headache./
    He sometimes has a headache.
11. He doesn't feel well in the morning.
12. He is not in good condition these days.

Writing with Grammar : 현재진행형

Task2 Composition

1
1. jumping	2. begging	3. raining
4. dropping	5. heating	6. studying
7. admitting	8. visiting	9. exiting
10.hitting	11.baking	12.mixing
13.referring	14.occurring	15.opening
16.lying	17.making	18.tapping

2
1. is running
2. is not swimming
3. is lying
4. is beginning
5. is visiting
6. are not enjoying
7. is getting

3
1. is not driving a bus today,
   is driving a taxi
2. are not fixing cars,
   are working in a restaurant as waiters
3. am not working at a construction site,
   am pumping gas at a service station

해석

1
1. 뛰다	2. 빌다	3. 비오다
4. 떨어뜨리다	5. 가열하다	6. 공부하다
7. 입장시키다	8. 방문하다	9. 나가다
10. 때리다	11. 굽다	12. 섞다
13. 언급하다	14. 발생하다	15. 열다
16. 눕다/거짓말하다	17. 만들다	18. 두드리다

2
1. 존은 학교에 늦었다. 그는 뛰고 있다.
2. 샘은 물을 안 좋아한다. 그는 수영하고 있지 않다.
3. 스미스 부인은 매우 피곤하다. 그녀는 소파에 누워 있다.
4. 비가 내리기 시작하고 있다. 안으로 들어가자.
5. 빌은 여기 없다. 그는 뉴욕의 부모님을 찾아뵙고 있다.
6. 아이들은 기쁘지 않다. 그들은 게임이 재미없다.
7. 겨울이 오고 있다. 추워지고 있다.

3
1. 스티브는 버스 운전사다. 하지만 그는 오늘 버스를 운전하고 있지 않다. 그는 택시를 운전하고 있다.
2. 샘과 팀은 정비사다. 하지만 그들은 이번 주에 차를 고치고 있지 않다. 그들은 식당에서 웨이터로 일하고 있다.
3. 나는 공사장 인부다. 하지만 이번 달에는 나는 공사장에서 일하고 있지 않다. 나는 주유소에서 휘발유를 주유하고 있다.

Writing Tasks

Task1 Identifying

It is snowing all day. We <u>have</u> a lot of snow this winter. Usually we <u>don't have</u> much snow in winter. Surely, the climate is changing. It is getting colder every winter. More people are dying of cold. But summer is getting hotter. It <u>rains</u> more. The rain often <u>floods</u> fields and towns. In some places, however, it is getting dry. It <u>doesn't rain</u> very much there. More and more land is losing water and becoming desert.

해석

하루 종일 눈이 내리고 있다. 이번 겨울에는 눈이 많이 온다. 여기는 보통 겨울에 눈이 많이 내리지 않는다. 확실히 기후가 변하고 있다. 매년 겨울이 점점 추워지고 있다. 점점 더 많은 사람들이 추위로 죽어가고 있다. 하지만 여름은 점점 더 더워지고 있다. 비가 더 많이 온다. 비는 종종 들판과 마을을 범람시킨다. 그러나 어떤 곳은 건조해지고 있다. 그곳에는 비가 많이 오지 않는다. 점점 더 많은 땅들이 수분이 없어져 사막이 되고 있다.

Task2 Reading&Writing

1. She likes autumn best.
2. She is giving Pal a bath.
3. He is mowing the lawn.
4. He is playing with the bubbles.
5. Her mother is hanging the laundry.
6. Her father is raking the leaves.

해석

수미야, 안녕! 잘 지내니? 가을은 좋은 계절이야, 그렇지 않니? 나는 가을이 제일 좋아. 어디나 아름다워. 가을에는 사람들도 아름다워 보여. 너 우리 가족 사진 보이니? 사진 속의 우리는 전형적인 주말을 보내고 있어. 태양은 밝게 빛나고 있어. 우리 아빠는 나뭇잎을 긁어모으고 있고, 브라이언은 가까이에서 잔디를 깎고 있어. 우리 엄마는 빨래를 널고 있어. 나는 내 개 팰을 목욕시키고 있어. 그는 거품을 가지고 재밌게 놀고 있어. 넌 뭐하고 있니? 보고 싶다. 안녕!

1. 제인이 가장 좋아하는 계절은 어떤 계절인가?
2. 사진 속에서 제인은 뭘 하고 있는가?
3. 브라이언은 뭘 하고 있는가?
4. 팰은 뭘 가지고 놀고 있는가?
5. 누가 빨래를 널고 있는가?
6. 누가 나뭇잎을 긁고 있는가?

Task3 Guided Writing

1. is writing math questions on the blackboard
2. is chewing a pencil

3. is flying a paper plane toward Bill
4. are talking to each other
5. is reading a comic book under the desk

Task4 Editing

1. writing → am writing
2. now pass → is now passing
3. danceing → dancing
4. swiming → swimming
5. grazing → are grazing
6. 틀린 곳 없음
7. they are doing → are they doing
8. is worrying → are worrying
9. learn → am learning
10. prouding → proud (형용사에 -ing를 붙일 수 없음)

Task5 Sentence Writing

1. Buildings are burning.
2. People are screaming.
3. Black smoke is rising.
4. The ground is still shaking.
5. Some people in the buildings are calling for help.
6. Earthquakes don't usually take place in this area. (현재형으로)
7. But many earthquakes are occurring these days.
   But there are many earthquakes occurring these days.
8. The climate is changing.
9. Earthquakes take away many lives.
10. They often destroy the whole town.
11. But the city isn't taking any action.
12. It is not preparing for the future properly.

Task6 On Your Own

1. It is _____ .
2. I am _____ .
3. I am sitting[lying/standing] on[in] _____ .
4. I am not _____ any longer.
5. I am wearing _____ .
6. _____ outside.
7. I am getting _____ .
8. I usually _____ at this time on Sunday. (현재시제로)

Bank

날씨

더운, 추운, 따뜻한, 시원한, 쌀쌀한, 몹시 추운, 좋은, 맑은, 비 오는, 눈 오는, 바람 부는, 흐린, 안개가 낀 · 폭풍 치는, 먼지가 많은, 습기 있는, 젖은, 건조한, 무더운

동작

자다, 눕다, 서다, 마시다, ~을 연주하다, 수업을 듣다, 시험을 보다, 공부하다, 배우다, 듣다, 이야기하다, 논쟁하다, 요리하다, 연습문제[문제]를 풀다, 리포트를 쓰다, 씻다, 차다, 던지다, 잡다, 소리지르다, 쇼핑하다, 사다, 팔다, 치우다, ~을 차리다, ~을 하다, 보다, 읽다, 만들다, 계획하다, 생각하다

상태의 변화

뚱뚱해지다/몸무게가 늘다, 마르다/체중이 줄다, 건강해지다, 더 초조해지다/예민해지다/자신감이 생기다/걱정되다/다정해지다/우울해지다/우울해지다/까다로워지다/화내다/~에 흥미가 생기다/외향적이 되다/내성적이 되다

UNIT 06 Journal 쓰기

Writing with Grammar : 현재와 현재진행형

Task2 Composition

1
1. teaches Spanish
2. belong to me
3. are playing soccer outside
4. does not have any work to do
5. weighs 200 pounds
6. is having a good time
7. doesn't cost very much
8. don't understand the questions

2
1. in the morning
2. this summer

3. every Wednesday

4. a good time (have가 소유의 뜻일 때는 상태동사)

5. see (see는 상태동사)

6. very often

7. for a living

8. know

해석

1
1. 화이트 씨는 교사이다. 그는 스페인어를 가르친다.
2. 그 바지는 내 거다. 그것은 나의 소유인 것이다.
3. 시끄러운 소리가 들린다. 몇몇 아이들이 밖에서 축구를 하고 있다.
4. 존은 오늘 한가하다. 그는 어떤 할 일도 없다.
5. 그는 뚱뚱하다. 그는 200파운드다.
6. 그것은 훌륭한 파티다. 모두가 재미있게 놀고 있다.
7. 이 차는 상태가 좋다. 하지만 그것은 값이 그렇게 비싸지 않다.
8. 나는 어려운 시험을 치르고 있다. 나는 문제들을 이해하지 못하겠다.

2
1. 제인은 아침에 조깅을 한다.
2. 샘은 올 여름 도서관에서 일할 것이다/일하고 있다.
3. 나는 매주 수요일에 일하러 가지 않는다.
4. 우리는 오늘 저녁에 재미있는 시간을 보내고 있다.
5. 새가 집 짓는 것이 보인다.
6. 그는 아주 자주 네 꿈을 꾼다.
7. 화이트 씨는 생업으로 샌드위치를 만든다.
8. 나는 답을 알고 있다.

Writing Tasks

Task1 Identifying

June 15. (the 20th Day)

Finally they <u>are</u> out into the world. I <u>see</u> three tiny baby birds in the nest. But one egg is still lying there. It is not moving. It <u>doesn't</u> <u>show</u> any sign of hatching. The babies <u>don't</u> <u>have</u> much hair on their bodies. But they <u>are</u> really cute. They are twittering all morning because they <u>want</u> something to eat. The mommy bird is hunting all day so she <u>can</u> <u>feed</u> then. She truly <u>loves</u> her babies. I <u>hope</u> she <u>finds</u> enough food.

해석

6월 15일 (20일째)
마침내 그들이 세상 속으로 나왔다. 나는 둥지에서 세 마리의 조그만 아기새를 본다. 하지만 알 하나는 아직 그 안에 놓여 있다. 그것은 움직이지 않는다. 그것은 깰 기미를 보이지 않는다. 새끼들은 몸에 털이 많이 없다. 하지만 그들은 정말 귀엽다. 그들은 아침 내내 지저귄다. 왜냐하면 먹을 것을 원하기 때문이다. 어미새는 새끼들을 먹이기 위해 하루종일 사냥을 한다. 어미새는 진정으로 자기 새끼들을 사랑한다. 나는 어미새가 충분한 먹이를 찾기 바란다.

Task2 Reading&Writing

1. No, he doesn't have a broken leg.
2. Jane takes him to the vet.
3. She gives him medicine every six hours.
4. No, he is not getting any better.
5. He usually jumps around her when she is home.
6. He is lying on the floor.

해석

10월 12일 금요일
팔이 아프다. 그는 열이 있다. 나는 이번 주에 매일 그를 수의사에게 데리고 갔다. 나는 그에게 여섯 시간마다 약을 준다. 나는 내가 할 수 있는 모든 것을 하고 있다. 나는 내가 그를 잘 보살피고 있다고 생각한다. 하지만 그는 나아지지 않고 있다. 아, 불쌍한 팔! 내가 집에 오면 그는 보통 내 주위에서 뛰어오른다. 그는 항상 새를 보고 짖는다. 하지만 그는 요즘은 이런 것들을 하지 않는다. 그는 심지어 지기 코에 앉은 파리도 개의치 않는다. 그는 지금 그냥 마루에 누워 있다. 그가 정말 안됐다.

1 팔은 다리가 부러졌나?
2. 누가 팔을 수의사에게 데리고 가고 있는가?
3. 제인은 얼마나 자주 그에게 약을 주고 있는가?
4. 그는 좋아지고 있는가?
5. 제인이 집에 오면 팔은 대개 무엇을 하는가?
6. 팔은 지금 뭘 하고 있는가?

Task3 Guided Writing

1. is not eating very well
2. He is not chasing Kit
3. He is not wagging his tail at Jane
4. He doesn't look happy
5. He doesn't have a wet nose
6. He is sleeping
7. He has sleepy eyes
8. He isn't sniffing around.

해석

평소에	지금/오늘 아침에
1. 그는 아주 잘 먹는다.	이번 주에는 잘 먹지 않는다.
2. 그는 키트를 뒤쫓는다.	오늘은 키트를 뒤쫓지 않는다.
3. 그는 제인에게 꼬리를 흔든다.	제인에게 전혀 꼬리를 흔들지 않는다.
4. 그는 기분 좋아 보인다.	기분 좋아 보이지 않는다.
5. 그의 코는 젖어 있다.	요즈음에는 그의 코는 젖어 있지 않다.
6. 그는 아침에는 안 잔다.	오늘 아침에는 자고 있다.
7. 그는 졸린 눈을 하고 있지 않다.	오늘 종일 졸린 눈을 하고 있다.
8. 그는 킁킁거리고 다닌다.	요즘은 킁킁거리고 다니지 않는다.

Task4 Editing

1. 맞음
2. 맞음
3. are having → have
4. are having → have
5. 맞음

6. are seeing → see (see — 상태동사)
7. 맞음
8. are hearing → hear (hear — 상태동사)
9. 맞음
10. 맞음 (시간을 보내다)
11. am think → think (think — 의견)

해석

제인에게,

....

1. 여기 한국은 오늘 비가 아주 많이 오고 있어. **2.** 강한 바람이 하루 종일 불고 있어. **3.** 매년 이때는 하나 또는 그 이상의 태풍이 와. **4.** 지금 우리는 몇 십 년 만에 가장 강한 태풍을 맞고 있어. **5.** 강들이 넘치고 있어. **6.** 어디에나 물이 보여. **7.** 우리 엄마는 시골에 계신 엄마의 부모님을 걱정하고 있어. **8.** 하지만 나쁜 소식만 들려와. **9.** 농부들은 그들의 농작물과 집을 잃고 있어. **10.** 그들은 인생에서 가장 끔찍한 시간을 보내고 있어. **11.** 나는 이것이 지구 온난화 때문이라고 생각해.

Task5 Sentence Writing

1. Jane's class are preparing for a festival all this week.
2. Some are practicing dancing.
3. Some are working on a play.
4. Kate and Maria are making invitation cards.
5. Jane has very many things to do.
6. She is taking charge of setting and lighting.
7. She likes working together with friends.
8. Her friends all look excited.
9. The classroom is turning[getting/becoming] colorful.
10. They are doing everything by themselves.
11. The teachers are not helping them.
12. They feel proud of themselves.
13. They are looking forward to next week.
14. They are having a difficult but good time.

Task6 On Your Own

1. *I like to play* _____ .
2. I don't like _____ among vegetables.
3. I _____ every day for health.
4. I don't usually _____ in public.
5. I feel _____ here. (feel은 진행형도 가능)
6. I know very well about _____ .
7. I don't understand _____ very well.
8. I see _____ .

Bank

모습

단정한, 지저분한, 깨끗한, 더러운, 예쁜, 잘생긴, 뚱뚱한, 마른, 날씬한, 이상한, 평범한, 수수한, 창백한, 건강한, 아픈, 매력적인

기분

좋은, 나쁜, 좋은, 괜찮은, 아주 나쁜, 끔찍한, 행복한, 슬픈, 화난(angry, upset), 어리석은, 편안한, 불편한, 불안한, 초조한, 흥분된, 당황한, 비참한

잘 아는 것

동물, 곤충, 기계, 컴퓨터, 고전음악, 대중음악, 라틴음악, 재즈, 댄스, 스포츠, 미술, 역사, 지리, 영화, 아메리칸 인디언, 게임, 신체, 식물, 공룡, 환경, 여행, 요리, 패션, 유명인사, 사진, 세균, 경제, 정치, 기술

이해하지 못하는 것

수학공식, 영어문법, 과학, 체스[미식축구/경기]의 규칙, 여자[남자]의 마음

Extra Writing Practice UNITS 5 & 6

1
1. Oil prices are rising.
2. Winter is getting cold.
3. People need more and more oil.
4. They want a more and more comfortable life.
5. More and more people own cars. / A growing number of people own cars.
6. Streets are getting more crowded with traffic.
7. We are using more and more oil every day.
8. Now we are running out of oil. / Now we don't have much oil.
9. Some countries are fighting for oil.
10. They don't see far into the future.
11. Our future depends on our effort.
12. The earth needs our care.

2
1. The superstar is singing her best hit song.
2. She doesn't usually play the guitar herself while singing.
3. All this evening she is playing the guitar herself while singing.
4. Her songs sound very powerful today.
5. All the audience have light sticks in their hands.
6. Everybody is standing and swinging to the music.
7. The whole stadium looks like a sea of light.
8. The night is getting deeper.
9. The music is getting quieter.
10. I sometimes hear frogs.
11. The concert is coming to an end.
12. But no one looks sleepy.

UNIT 07 일기 쓰기

Writing with Grammar : 단순과거

Task2 Composition

1
1. tried	2. had	3. did
4. stopped	5. swam	6. sat
7. came	8. gave	9. wore
10.began	11.died	12.sent
13. got	14.drew	15.stood
16.starred	17.prayed	18.tugged

2
1. drank tea
2. took a bath
3. drove a bus
4. ran slowly
5. spoke Spanish

3
1. didn't speak English well
2. She was very shy
3. She brought lunch to school
4. She studied very hard
5. She was not very funny
6. She wore skirts
7. Usually she did things alone
8. She carried a heavy bag

해석

1
1. 노력하다	2. 가지다	3. 하다
4. 멈추다	5. 수영하다	6. 앉다
7. 오다	8. 주다	9. 입다
10. 시작하다	11. 죽다	12. 보내다
13. 얻다	14. 그리다	15. 서다
16. 뛰어나다	17. 기도하다	18. 당기다

2
1. 그는 커피를 안 마셨다. 그는 차를 마셨다.
2. 그는 샤워를 안 했다. 그는 목욕을 했다.
3. 그는 택시를 운전하지 않았다. 그는 버스를 운전했다.
4. 그는 빨리 달리지 않았다. 그는 천천히 달렸다.
5. 그는 영어를 말하지 않았다. 그는 스페인어를 했다.

3
1. 이제 카르멘은 영어를 잘 한다. 처음에는 그녀는 영어를 잘 하지 못했다.
2. 그녀는 수줍어하지 않는다. 그때는 수줍어했다.
3. 그녀는 학교에 도시락을 가져오지 않는다. 그때는 가져왔다.
4. 그녀는 공부를 열심히 하지 않는다. 그때는 열심히 했다.
5. 그녀는 아주 웃긴다. 그때는 웃기지 않았다.
6. 그녀는 치마를 입지 않는다. 그때는 치마를 입었다.
7. 대개 그녀는 혼자 일을 하지 않는다. 그때는 혼자 했다.
8. 그녀는 무거운 가방을 가지고 다니지 않는다. 그때는 무거운 가방을 가지고 다녔다.

Writing Tasks

Task1 Identifying

It was a terrible day. Everything went wrong. My clock was dead and I was late for school. I forgot to bring my homework, and the teacher got angry. He told me to stay after school. During recess, Jack stepped on my foot. He said sorry but I almost fought with him. I don't know why. I was not myself. All my friends blamed me. They left me alone in the schoolyard. Even Jenny didn't speak to me all day. I came home alone. I was lonely and sad.

해석

끔찍한 하루였다. 모든 것이 어긋났다. 내 시계는 멈춰 섰고 나는 학교에 지각했다. 나는 숙제를 안 가지고 갔고 선생님은 화가 나셨다. 선생님은 학교 끝나고 남으라고 내게 말하셨다. 쉬는 시간에 잭이 내 발을 밟았다. 그 애는 사과했지만 나는 그 애와 싸울 뻔했다. 왜 그랬는지 모른다. 나는 딴 사람 같았다. 모든 친구들이 나를 비난했다. 그들은 운동장에 나를 혼자 남겨 두었다. 제니 조차도 하루 종일 나에게 말을 안 했다. 나는 집에 혼자 왔다. 나는 외로웠고 슬펐다.

Task2 Reading&Writing

1. His mother suddenly rushed into his room and turned off the computer.
2. He went out and slammed the door behind.
3. He saw his report card lying on the kitchen table.
4. He felt ashamed of himself.
5. He left her a note (and wrote 'Sorry').
6. He found her note on his desk.

해석

나는 엄마와 한바탕했다. 이번에는 컴퓨터 가지고였다. 나는 게임을 하려고 인터넷을 검색하고 있었다. 갑자기 엄마는 내 방으로 달려 들어와서 컴퓨터를 끄는 것이었다. 나는 무슨 말을 해야 할지 몰랐다. 엄마는 너무 무례했다. 나는 그냥 문을 꽝 닫고 나왔다. 그날 저녁에 나는 부엌 식탁 위에 있는 내 성적표를 보았다. 성적이 형편 없었다. 그래서 엄마가 그토록 화가 났던 것이었다. 나는 내 자신이 너무 부끄러웠다. 나는 엄마에게 쪽지를 남겼다. 나는 '죄송해요, 엄마. 다음에는 더 잘할게요.'라고 썼다. 내 방에 돌아와서 나는 내 책상 위에서 엄마의 쪽지를 발견했다. 쪽지에는 '미안하다, 맥스야. 엄마는 너를 사랑해.'라고 쓰여 있었다.

1. 왜 맥스는 화가 났나?
2. 그래서 그는 어떻게 했나?
3. 그는 나중에 저녁때 무엇을 보았나?
4. 그는 자신에 대해 어떻게 느꼈나?
5. 그는 엄마를 위해 뭘 했나?
6. 그는 자기 책상에서 뭘 발견했나?

Guided Writing

1. took a test at school
2. I got home from school
3. I played tennis with Susan
4. We celebrated Mom's birthday at a restaurant
5. I watched a movie on TV

해석

1. 나는 아침에 학교에서 시험을 치렀다.
2. 나는 오후 3시 30분에 학교에서 집으로 돌아왔다.
3. 나는 오후 4시부터 5시까지 수잔과 테니스를 쳤다.
4. 우리는 6시 30분에 식당에서 엄마의 생신을 축하했다.
5. 나는 자정까지 TV로 영화를 봤다.

Task4 **Editing**

1. last afternoon. → yesterday afternoon
2. warns → warned
3. did started → started / did start
4. did → were
5. mixxed → mixed (x, y, z는 '단모음+단자음'으로 끝나더라도 자음을 반복하지 않음)
6. arised → arose
7. begun → began
8. droped → dropped
9. broken → broke
10. did not → didn't do it

*experiment 실험   chemical 화학약품

 sneeze 재채기하다   on purpose 일부러

해석

1. 어제 오후 과학시간에 실험이 있었다. 2. 실험 전에 선생님께서는 화학약품들에 대해 경고를 하셨다. 3. 마침내 우리는 실험을 시작했다. 4. 우리는 아주 조심했다. 5. 우리는 몇 가지 화학약품들을 아주 조심스럽게 섞었다. 6. 그때 약간의 냄새나는 연기가 올라왔다. 7. 갑자기 내 코가 간지럽더니 나는 큰 소리로 재채기를 했다. 8. 그러자 프랭크가 화학약품이 든 비커를 떨어뜨렸다. 9. 그것은 바닥에서 산산조각으로 부서졌다. 10. 나는 일부러 그러진 않았지만 아주 미안했다.

Task5 **Sentence Writing**

1. It is my birthday today. / Today is my birthday.
2. I went to the amusement park with my family.
3. There were a lot of people in the park.
4. There was a long line in front of every fun ride.
5. We waited an hour to ride a roller coaster.
6. We had hot dogs with coke for lunch.
7. The hot dogs didn't taste good.

8. After lunch, I had a stomachache.
9. We hurried home. / We came back home hurriedly.
10. Mom took me to the doctor.
11. I took medicine and slept until late night.
12. I didn't eat dinner.
13. On my thirteenth birthday, I didn't have fun but lay in bed all afternoon.

Task6 **On Your Own**

1. It was _____ today. /
   The weather was _____ .
2. I felt _____ when I got up.
3. I talked to _____ about _____ at school.
4. I took _____ classes.
5. I _____ at school.
6. I _____ today.
7. I didn't _____ .
8. It was a _____ day.

Bank

학교에서 있었던 일

늦다, 아프다[다치다], 시험을 치르다[망치다], 성적표를 받다, 발표를 하다, 실험을 하다, 잠들다, ~로 칭찬받다[야단맞다/벌받다/상을 받다], 견학 가다, 싸우다, 말싸움하다, 숙제[교과서]를 학교에 안 가지고 가다, 잃어버리다, 빌리다[빌려 주다], [무엇을/누군가를] 보다, 듣다

안 해야 하는데 한 일

게임하다, TV를 보다, 인터넷으로 쇼핑하다, 친구들과 쏘다니다, 만화책을 읽다, 돈을 너무 많이 쓰다, 불량식품을 먹다, 사다, 자다, 수업을 빼먹다, 식사를 거르다, 숙제를 잊다

어떤 하루

좋은, 아주 좋은(wonderful, terrific, great), 재미있는, 행복한, 우울한, 슬픈, 특별한, 끔찍한(awful, terrible), 최악의, 최고의, 기억할 만한

UNIT 08 사건 보고하기

Writing with Grammar : 과거진행형

Task2 **Composition**

1

1. I was serving food
2. I was wearing a dirty uniform
3. My boss was pushing me
4. I was not feeling well
5. The customers were not being very nice

2
1. was making
2. was standing
3. was sitting
4. ran
5. stepped
6. hit
7. was following
8. was not paying
9. was talking
10. got, was not wearing

1
1. 나는 오늘 음식을 서빙하고 있다.
   어제 이 시간에도 나는 음식을 서빙하고 있었다.
2. 나는 오늘 지저분한 유니폼을 입고 있다.
   어제도 지저분한 유니폼을 입고 있었다.
3. 내 상사는 오늘 나를 재촉한다.
   그는 어제도 나를 재촉했다.
4. 나는 오늘 몸이 좋지 않다.
   나는 어제도 몸이 좋지 않았다.
5. 손님들은 오늘 잘 대해주지 않는다.
   어제도 손님들은 잘 대해주지 않았다.

2
1. 나는 그때 좌회전하고 있었다.
2. 그 노인은 인도에 서 있었다.
3. 그 개는 그 옆에 앉아 있었다.
4. 갑자기 그 개가 길로 뛰어들었다.
5. 나는 순간적으로 브레이크를 밟았다.
6. 그때 그 트럭이 내 차를 받았다.
7. 그 트럭은 내 뒤를 바짝 따라오고 있었다.
8. 내 생각에 그 운전자는 길에 주의를 기울이고 있지 않았다.
9. 그는 전화 통화를 하고 있었다.
10. 그는 다쳤다. 왜냐하면 그는 안전벨트를 하고 있지 않았기 때문이다.

Writing Tasks

Task1 Identifying

In 1912, the Titanic was traveling in the Atlantic Ocean to New York. It was big: it was 269 meters long. It was carrying 2,200 people. The passengers liked the trip. They were riding on the biggest, safest ship in the world. They were having a lot of fun, too. On Sunday, April 14, a radio operator received a few iceberg warnings. However, he didn't think much of them. It was midnight. Most passengers were sleeping. Then suddenly the ship hit a huge block of ice. At 1:00 am, the ship was sinking.

1912년에 타이타닉 호는 뉴욕을 향해 대서양을 항해하고 있었다. 그것은

269미터 길이로 컸다. 그것은 2,200명을 태우고 있었다. 승객들은 그 여행을 좋아했다. 그들은 세계에서 가장 크고 안전한 배를 타고 있었다. 그들은 또한 아주 즐거운 시간을 보내고 있었다. 4월 14일 일요일, 무선통신사가 몇 번의 빙산 경고를 받았다. 그러나 그는 그것을 대수롭지 않게 생각했다. 그때는 한밤중이었다. 대부분의 승객들은 자고 있었다. 그때 갑자기 배가 거대한 얼음덩어리를 들이받았다. 새벽 1시에 그 배는 가라앉고 있었다.

Task2 Reading&Writing

1. She felt like a woman.
2. She was standing in front of the mirror.
3. She was baking cookies.
4. No, he wasn't fixing her bike. Sam was.
5. They were hanging on the trees.
6. She smelled cookies.

내 최악의 생일

지진이 발생했다. 그리고 그것은 나의 날을 망쳤다. 오후 1시, 내 생일파티 두 시간 전이었다. 나는 그날 열세 살이 되었다. 나는 거울 앞에 서 있었다. 나는 다 자란 것 같이 보였다. 나는 거의 여자가 된 느낌이었다. 우리 엄마는 쿠키를 굽고 계셨다. 우리 아빠는 나를 위해 몰래 뭔가를 사고 계셨다. 내 동생 샘마저도 나에게 착하게 굴고 있었다. 그 애는 내 자전거를 고치고 있었다. 쿠키는 냄새가 너무 좋았다. 풍선들이 나무에 매달려 있었다. 햇빛은 쏟아져 내리고 있었다. 그때 그것이 일어났다.

1. 그녀는 어떤 기분이었나?
2. 그녀는 무얼 하고 있었나?
3. 그녀의 어머니는 무얼 하고 있었나?
4. 그녀의 아버지가 자전거를 고치고 있었나?
5. 풍선은 어디에 매달려 있었나?
6. 그녀는 무슨 냄새를 맡았나?

Task3 Guided Writing

1. was doing the dishes when he broke a glass
2. hit a tree while he was backing up his car
3. were having a party when the smoke alarm went off
4. was stirring the soup when a fly fell into it
5. were playing baseball when it began to rain

---

1. 브라이언은 유리잔을 깼을 때 설거지를 하는 중이었다.
2. 리 씨는 차를 뒤로 빼다가 나무를 들이받았다.
3. 화재경보기가 울렸을 때 그 남자들은 파티를 하는 중이었다.
4. 파리가 안으로 빠졌을 때 리 부인은 수프를 젓고 있었다.
5. 비가 내리기 시작했을 때 그 아이들은 야구를 하고 있었다.

Task4 Editing

1. was → were
2. runing → running
3. was bumping → bumped

4. helding → holding
5. looked → was looking
6. was hitting → hit
7. 틀린 곳 없음
8. was holding → held, asking → asked
9. 틀린 곳 없음
10. were not seeing → didn't see

- -

해석

1.내 친구들과 나는 잡기놀이를 하고 있었다. 나는 술래였다. **2.**나는 조를 뒤쫓고 있었다. **3.**그때 갑자기 나는 에이미와 부딪혔다. **4.**그녀는 아이스크림을 들고 있었는데 이제는 그것이 얼굴에 다 묻어 있었다. 그때 선생님이 오셨다. **5.**에이미는 "제가 뭔가를 찾고 있었는데 갑자기 **6.**그 애가 저를 때렸어요." 하고 말했다. **7.**나는 걔가 거짓말하고 있다고 했다.
"에이미, 뭘 찾고 있었니?"라고 선생님이 물으셨다.
"제 안경이요."라고 그녀가 말했다. **8.**그러자 선생님은 자기 손을 들고 물으셨다. "에이미, 손가락이 몇 개가 보이니?" "세 개요."라고 그녀는 말했다.
"틀렸다. **9.**너는 안경을 안 쓰고 있었어. **10.**그래서 넌 네 길을 가로막은 브라이언을 못 보았던 거야. 그것은 사고였던 것 같다."라고 선생님은 말하셨다.

Task 5 Sentence Writing

1. I was reading in my room.
2. I didn't hear the knock.
3. I was wearing earphones.
4. Father tapped me on the shoulder.
5. He was wearing a suit and a tie.
6. I looked at the clock. It was 6 o'clock already.
7. Everybody was waiting for me downstairs.
8. It was getting dark.
9. There were not many cars on the street.
10. We arrived at the party well past 7.
11. Everybody was eating, drinking, and talking happily.
12. But Susan and Kate were sitting in the corner by themselves.
13. They didn't look happy at all.
14. I said hi and joined them.

Task 6 On Your Own

1. *I was* _____ .
2. I was _____ then.
3. _____ was[were] _____ ing nearby[next to me].
4. Suddenly _____ .
5. I _____ .
6. _____ .
7. _____ .

Bank

하고 있던 일
옷을 입다, 샤워를 하다, 일기를 쓰다, 이야기하다, 졸다, 자다, 걷다, 누군가를 만나다, 비밀스러운 일을 하다, 뭔가를 살짝 엿보다, ~로 몰래 들어가다, 자전거를 타다

중간에 생긴 일
~로 튀어들다, ~ 밖으로 나가다, 달려들다(rush, dash), 깨뜨리다, 떨어뜨리다, 멈추다, 때리다, 치다, 떨어지다, 잠들다/조용해지다, ~ 위로 넘어지다, 헛디디다, 끼어들다, 잊다, 기억하다, 나타나다, 사라지다, 방해하다, 참견하다

여러분의 반응
놀란, 당황한 공포에 질린, 겁나는, 부끄러운, 무서운, 충격받은, 반가운, 궁금한, 실망한, 소리지르다, 웃다, 울음[웃음]을 터뜨리다, 껴안다, 소리지르다, 숨다, 숨으려고 달려가다, 얼굴을 가리다, 울다, 뭔가를 던지다, 도망가다, 그 사람에게 달려가다, 기절하다

Extra Writing Practice UNITS 7 & 8

1
1. I caught a bad cold yesterday.
2. I was playing baseball with friends in the park.
3. We were having a lot of fun.
4. I was pitching and my team was winning.
5. Then suddenly it began to rain.
6. We didn't want to go home.
7. We kept playing in the rain.
8. At night I had a high fever.
9. I didn't go to school today.
10. I stayed[was/lay] in bed all day today.
11. I am not feeling well now.
12. But I am still thinking of baseball.

2
1. It was pouring all day.
2. The river was overflowing into villages and fields.
3. People were calling for help on the rooftop.
4. The water was rising higher and higher./ The water kept rising.
5. The rescuers were carrying people with the boat.
6. They all looked exhausted and frightened.
7. I saw cows and pigs floating down the river.
8. I heard chickens and geese here and there.
9. I remembered last year's flood.
10. It was horrible[dreadful/awful/terrible].
11. This area suffers from floods almost every year.
12. I feel sorry for them.

Writing with Grammar : 미래

Task2 Composition

1
1. will take, are going to take
2. will come, are going to come
3. will be, is going to be
4. will bloom, are going to bloom
5. will begin, are going to begin

2
1. She will meet Susan on Monday.
2. She is going to play tennis in the park.
3. Uncle Harry is going to come over.
4. It arrives at 3.
5. She is going to the dentist for a regular checkup.

해석

1
1. 그 씨앗들은 2~3일이면 뿌리를 내릴 것이다.
2. 일주일이 지나면 싹이 나올 것이다.
3. 봄에는 많은 비가 올 것이다.
4. 꽃들은 6월에는 필 것이다.
5. 콩들은 7월에 보이기 시작할 것이다.

2
1. 그녀는 월요일에 누구를 만날 건가?
   그녀는 월요일에 수잔을 만날 것이다.
2. 그녀는 화요일에 어디서 테니스를 칠건가?
   그녀는 공원에서 테니스를 칠 것이다.
3. 수요일에는 누가 올 건가?
   해리 삼촌이 올 것이다.
4. 비행기는 몇 시에 도착하는가?
   그것은 3시에 도착한다.
5. 금요일에 그녀는 무엇 때문에 치과에 갈 것인가?
   그녀는 정기검진을 받으러 치과에 갈 것이다.

Writing Tasks

Task1 Identifying

My dog Max is going to be one tomorrow. I'm going to celebrate with him. First, I will give him a big bone for a present. Then I am going to take him to the park after school. We will play catch and have a good time. Maybe we will play Frisbee, too. We won't come home until dark. He'll love it. He's going to be the happiest dog in the world on his first birthday.

해석

내 개 맥스는 내일 한 살이 될 것이다. 나는 그와 축하하려고 한다. 먼저 나는 그에게 선물로 큰 뼈다귀를 줄 것이다. 그런 다음 나는 학교 끝나고 그를 공원으로 데려갈 것이다. 우리는 잡기 놀이를 하고 재미있는 시간을 보낼 것이다. 아마도 우리는 프리스비도 가지고 놀 것이다. 우리는 어두워져야 집에 올 것이다. 그는 좋아할 것이다. 그는 그의 첫 번째 생일날 세상에서 가장 행복한 개가 될 것이다.

Task2 Reading&Writing

1. It is going to be three months.
2. She will have her summer vacation in a week.
3. No, she is not going to study hard during the vacation.
4. She's going to learn jazz dance.
5. She is probably going to visit her cousin in Colorado.
6. She's going camping with her Girl Scout troop.
7. Yes, she will probably get thinner this summer.

해석

안녕! 날씨가 따뜻해지고 있고 나는 점점 더 신이 나. 왜냐고? 일주일만 있으면 여름방학이거든. 세 달 동안 학교도 없고 시험도 없을 거야. 나는 재미있게 놀 거야. 나는 책은 읽겠지만 공부는 안 할 거야. 우리 엄마는 이번에는 나를 몰아붙이지 않을 거야. 너의 계획은 뭐니? 내 계획은 이거야. 나는 재즈댄스를 배울 거야. 나는 걸스카우트 단원들과 캠핑을 갈 거야. 아마도 나는 콜로라도의 내 사촌들도 방문할지 몰라. 이 모든 일을 하면서 나는 살을 뺄 거야. 아, 가봐야겠어. 곧 편지 쓸게. 안녕!

1. 방학은 얼마나 오래인가?
2. 그녀는 언제 여름방학인가?
3. 방학 동안 그녀는 열심히 공부할 것인가?
4. 그녀는 무엇을 배울 것인가?
5. 그녀는 누구를 방문할지도 모르는가?
6. 그녀는 누구와 캠핑을 갈 것인가?
7. 그녀는 이번 여름에 날씬해질 것인가?

Task3 Guided Writing

1. is going to[will] write an e-mail
2. is going to[will] climb the mountain
3. are going to[will] be slippery
4. is going to[will] drink a glass of warm milk
5. are going to[will] attend a conference
6. is going to[will] be freezing

해석

1. 제인은 오늘 저녁에 이메일을 쓸 것이다. 그녀의 컴퓨터는 이제 수리되어 있다.
2. 그 노인은 곧 등산을 할 것이다. 그는 거의 산에 다 왔다.
3. 눈이 심하게 내리고 있다. 내일 아침에는 길이 미끄러울 것이다.
4. 브라이언은 자기 전에 따뜻한 우유 한 잔을 마실 것이다. 그는 푹 자고

5. 화이트 씨 부부는 다음 달에 회의에 참석할 것이다. 그들은 준비하느라 바쁘다.
6. 이번 주에는 날씨가 무척 추울 것이다. 일기도를 봐라.

Task4 Editing

1. is going to smaller → is going to be smaller
2. use → will use
3. There is → There are
4. We'll going to → We are going to/We'll
5. are doing → will do (현재진행형은 미래의 계획에 쓰임)
6. 틀린 곳 없음 (공식 스케줄은 현재형이 미래를 대신함)
7. 틀린 곳 없음
8. is going to not be → is not going to be
9. willn't → won't/will not
10. will full of → will be full of

해석

1.세상은 점점 작아질 것이다. **2.**아마 세계의 사람들은 같은 언어를 쓰게 될 것이다. **3.**종이책은 없어지고 전자책이 있을 것이다. **4.**우리는 더 많은 자유시간을 갖게 될 것이다. 왜? **5.**로봇이 우리 일을 대부분 해 줄 거니까. **6.**NASA는 다음 달에 또 하나의 우주선을 발사한다. **7.**언젠가는 보통 사람들이 우주를 여행할 수 있을 것이다. **8.**그러나 우리의 미래는 매우 밝지 않을 것이다. **9.**산에는 나무가 별로 없을 것이다. **10.**지구는 몇 세기 있으면 쓰레기로 가득찰 것이다.

Task5 Sentence Writing

1. This trip will be very enjoyable. (is going to be 도 가능)
2. You are going to leave this Wednesday and come back next Saturday. (You are leaving ... and coming...도 가능)
3. The plane takes off at 3 pm on Wednesday.
4. You will arrive in Paris in six hours.
5. It will never be cold in Europe.
6. There won't be many tourists this season.
7. You are going to have a city tour on the first day. (You will.../You are having a...도 가능)
8. In Rome you will enjoy a terrific festival. (you are going to enjoy도 가능)
9. You are going to stay in Rome for two days. (will stay/stay 현재형도 가능)
10. Maybe you will need an umbrella in London.
11. You are going to arrive in Chicago at about 8 pm on the 21th. (will arrive/arrive도 가능)
12. We will do our best for your pleasant trip.
13. We'll see you at the airport then.

Task6 On Your Own

1. I am going to _____ in an hour. (현재진행형도 가능)
2. I am going to _____ later today. (현재진행형도 가능)
3. I am going to _____ this weekend. (현재진행형도 가능)
4. I am going to _____ this year. (will도 가능)
5. I am going to _____ three years later. (will도 가능)
6. *Probably it* will be _____ tomorrow.
7. I am going to _____ when I grow up. (결심이면 will도 가능)
8. I am going to _____ if I win the lottery. (의지면 will도 가능)

Bank

직업
~을 위해 일하다, ~을 하다, 교사, 의사, 공무원, 군인, 경찰관, 소방관, 농부, 남자[여자]배우, 화가, 음악가, 비행기 조종사, 비행기 승무원

한 해의 결심
더 좋은 성적을 내다, 학교에서 공부를 더 잘하다, ~에서 일등을 하다, 정복하다, 더 나은 사람이 되다, 더 많은 책을 읽다, 배우다, 사다

복권에 당첨된다면 할 일
차[집/컴퓨터/옷]을 사다, 세계여행을 하다, 사업을 시작하다, 코[눈]를 고치다, 주식에 투자하다, 미래를 위해 저축하다, 어려운 사람을 위해 기부하다, 거저 주다

UNIT 10 : Messages

Writing with Grammar : 조동사

Task2 Composition

1
1. may[can/could] leave now
2. cannot[may not/must not] hang around here
3. can move this rock alone
4. could not make it in time
5. may[might/could] let up soon
6. must[has to] pay for that
7. don't have to dress up for the concert

8. must be a model
9. should win the game

2
1. may be
2. don't have to
3. cannot
4. must
5. can't
6. should (미래를 확신할 수는 없으므로 미래에는 must를 쓰지 않고 대신 기대의 should를 쓴다.)
7. may not
8. may
9. should
10. has to

해석

1
1. 너는 지금 가도 된다.
2. 너는 여기 주변을 돌아다니면 안 된다.
3. 나는 혼자서 이 바위를 옮길 수 있다.
4. 나는 그것을 제 시간에 해낼 수 없었다.
5. 아마 비가 곧 그칠 것이다.
6. 그는 저것에 대한 값을 치러야 한다.
7. 그 연주회에 정장을 하고 갈 필요는 없다.
8. 그는 모델임에 틀림없다.
9. 그가 그 게임을 이길 것 같다.

2
1. 확실치는 않다. 내일 비가 올지도 모른다.
2. 옷을 어떻게 입어야 한다는 규정은 없다. 정장은 안 입어도 된다.
3. 시간이 없다. 시간을 허비할 수 없다.
4. 너 진담이니? 농담하는 거겠지.
5. 그건 불가능하다. 그것이 사실일 리 없다.
6. 날씨가 좋을 것이다. 소풍이 재미있겠다.
7. 저기에 표지판이 있다. 여기서 담배 피우면 안 된다.
8. 그건 공짜다. 네가 원하는 만큼 가져가도 된다.
9. 너는 창백해 보인다. 넌 좀 쉬어야 할 것 같다.
10. 그가 유리창을 깼다. 그가 값을 치러야 한다.

Writing Tasks

Task1 Identifying

It will be another tough week. The temperature may drop even further. The wind could get stronger. There might be a tornado or two in the middle of the week. You had better get well-prepared. You shouldn't leave anything movable in the open field. No one should be outside. Remember the tornado can blow your house and car away.

해석

또 힘든 한 주가 될 것이다. 기온은 훨씬 더 떨어질지도 모르겠다. 바람은 더 강해질 수도 있겠다. 주중에는 토네이도가 한두 번 있을 수도 있다. 잘 대비하

는 게 좋을 것이다. 너른 들판에는 움직일 수 있는 것은 아무것도 두면 안 된다. 아무도 밖에 있으면 안 된다. 토네이도가 당신의 집과 차를 날려 버릴 수 있다는 것을 기억해라.

Task2 Reading&Writing

1. She can't find Pal anywhere. (Pal is missing.)
2. may be lost in the woods.
3. may have him.
4. could be dead.
5. He must be scared and lonely.
6. She should report it to the police.

해석

수미야, 오늘 팔을 어디서도 찾을 수가 없어. 걔는 어디 있는 걸까? 숲 속 어딘가에서 길을 잃었을 수도 있어. 누군가가 걔를 데리고 있을지도 몰라. 아니면… 죽었을 수도 있어. 그럴 가능성이 많아. 많은 개와 고양이들이 매일 길에서 죽임을 당해. 나는 지금 정말 걱정이 돼. 만약 누군가가 걔를 데리고 있다면 그 사람이 어떻게 우리 집을 찾을 수 있겠어? 걔는 말을 못하잖아! 만약 걔가 살아 있다면 무섭고 외로울 거야. 아, 이건 현실일 수 없어. 난 경찰에 걔를 잃어버렸다고 신고해야 할까봐, 안 그러니? 이제 가 봐야 되겠다. 곧 다시 연락할게. 안녕.

1. 문제가 무엇인가?
2. 팔에게 무슨 일이 일어났는가?
3. 다른 추측은 무엇이 있을 수 있나?
4. 또 다른 가능성은 무엇인가?
5. 만약 팔이 살아 있다면, 그는 지금 어떤 기분인가?
6. 그녀는 어떻게 해야 하나?

Task3 Guided Writing

1. cannot[may not/must not] swim here
2. must[have to] fasten your seat belt
3. can[may] eat and rest in this area
4. may[might/could] be slippery
5. can[may] use the room
6. can't[may not/must not] come into the building
7. should[must] not make noise in the reading room
8. don't have to pay to try it

해석

1. 수영금지. 여기서 수영하면 안 된다.
2. 벨트를 매시오. 안전벨트를 매야 한다.
3. 휴게소. 여기서 먹고 쉴 수 있다.
4. 미끄러운 길. 조심해라! 길이 미끄러울 수도 있다.
5. 남자 화장실. 남자만이 그 공간을 사용할 수 있다.
6. 개 출입금지. 당신의 개는 건물에 들어올 수 없다.
7. 정숙. 열람실에서 시끄럽게 하면 안 된다.
8. 해보는 건 공짜. 해보는 데 돈을 안 내도 된다.

Task4 Editing

1. will may not attend → may not attend
   (will을 쓰면 안 됨)
2. I've to go → I have to go
3. maybe there → may be there (조동사 may)
4. 틀린 곳 없음 (must: ~임에 틀림없다 — 확신)
5. 틀린 곳 없음
6. must be → had to be
7. 틀린 곳 없음
8. will like to see → would like to see
9. don't have to keep → must not keep
10. has to → have to
11. 틀린 곳 없음

해석
1. 수지야, 난 다음 주 회의에 참석 못할지도 몰라. 2. 엄마가 아프셔서 가서 뵈어야 하거든. 3. 아마 다음 주 말까지 거기 있을 거야. 미안해. 나중에 전화할게! —킴

안녕! 돌아온 걸 환영해! 4. 넌 여전히 기운이 없을 거야. 5. 병원으로 찾아가 보지 못해서 미안해. 6. 나는 지난 주 내내 떠나 있어야 했어. 7. 너무 열심히 일 하면 안 된다는 걸 명심해! 8. 빨리 보고 싶다. —스티브

9. 세입자에게, 아파트에서 개를 키우면 안 됩니다. 그건 규정입니다. 다음 주 까지 개를 치우십시오. 10. 그렇지 않으면 당신을 퇴거시켜야 합니다. 감사합니다. —리버힐 아파트 관리인, 마거릿 화이트

팻과 수가 결혼하는 거 알았니? 11. 사실일 리 없어! 나는 충격받았어. 최대한 빨리 전화해. —브리짓

Task5 Sentence Writing

1. I may be late./Maybe I will be late.
2. So you can[may] leave first.
3. Remember. You must[should] observe the camping rules.
4. It might[may] rain.
5. You could[may/might] get lost in the mountain.
6. You should not be embarrassed in any case.
7. You should be able to protect yourselves.
8. Sometimes you could[might/may] be scared.
9. Sometimes you will have to make important decisions.
10. But you don't have to worry.
11. You will be able to do it well.
12. You must be nervous now.
13. Remember. You can't get anything without sweat.

Task6 On Your Own

1. *I* must _____ as a student.
2. *I* must not _____ as a student.
3. *I* don't have to _____ today.
4. _____ may _____ today.
5. *He[she]* can't _____ .
6. _____ must be _____ ing now.
7. *I* can _____ best.
8. *I* could _____ before.

Bank

해야 하는 일
교복을 입다, 머리를 짧게 자르다, 수업을 듣다, 선생님 말씀(학교 규칙)을 따르다, 시험을 보다, 숙제를 하다

해서는 안 되는 일
적절한 사유 없이 수업에 빠지다, 컴퓨터로 게임을 너무 많이 하다, 담배 피우다, 술 마시다, 다른 사람들을 괴롭히다, 시험에서 부정행위를 하다, 욕하다, 나쁜 말을 사용하다, 다른 사람을 다치게 하다

잘 하는 일
글쓰다, 노래하다, 춤추다, 요리하다, (붓으로) 그리다, (선으로) 그리다, ~을 짓다, ~을 만들다, 종이접기를 하다, 퍼즐을 풀다, 이야기를 하다, 농담을 하다, 악기(피아노/바이올린)를 연주하다, 운동경기를 하다, 암기하다

하고 싶은 일
좋은 대학에 가다, 좋은 친구를 사귀다, 좋은 점수를 받다, 성공한 사람이 되다, ~을 잘하다

Extra Writing Practice UNITS 9 & 10

1
1. I am going to be a tour guide.
2. I will be able to travel to many countries.
3. I may be able to make many foreign friends.
4. I would like to learn a lot about other countries.
5. Also I would like to introduce Korea to the world.
6. I should be able to communicate with foreigners freely.
7. Before long, English could[may/might] be an international language.
8. Therefore[So] I must[should] be able to speak English well.
9. I may have to learn other languages as well.
10. Chinese should become an important language./Very possibly[likely] Chinese will become an important language.
11. Learning a foreign language will[should] not be easy.

12. But I will never give up.

2
1. You have to[must] arrive at school before 8:10.
2. You don't have to carry your textbooks. You can keep them in your locker.
3. You must not wear hats in class.
4. you have to call school
5. You can buy lunch at school or you can bring it with you.
6. You cannot[may not/must not] run in the hallway.
7. You can[may] wear anything.
8. You should[had better] not wear too much makeup or jewelry.
9. Sometimes there could[might/may] be fire drills. Don't be surprised.
10. There may[might/could] be one or two field trips in a semester.
11. There must be naughty friends.
12. You can always ask me for help.

UNIT 11 : 사물 묘사하기

Writing with Grammar : 명사와 대명사

Task2 Composition

1
1. jogging, swimming
2. toast, an egg
3. a shirt, jeans
4. books, pencils

2
1. children are crying for their mothers
2. babies are talking to themselves
3. men need wives
4. leaves have insects on them
5. sheep are looking for their mates
6. There are five zeroes in my phone number
7. thieves are breaking into the house

3
1. a, an
2. some, an
3. a, an
4. some, an, a, some

Writing Tasks

Task1 Identifying

I got a <u>watch</u> for my <u>birthday</u> yesterday. It is the most beautiful <u>watch</u> I have ever seen. There are two <u>rows</u> of tiny <u>jewels</u> around its <u>face</u>. They sparkle beautifully. The <u>face</u> of the <u>watch</u> is pink with small <u>flowers</u> printed on it. The three <u>hands</u> are black. At the <u>end</u> of each <u>hand</u> is a tiny red <u>point</u>. The <u>straps</u> are made of purple <u>leather</u>. There are two white <u>lines</u> on each of them.

Task2 Reading&Writing

1. They are size 5.
2. There are zippers on the inner side of them.
3. It is made of plastic.
4. It has a checked design of blue and gray.
5. It has both a long strap and a small handle.
6. It is a straw hat with a white ribbon around it.
7. It has a wide brim, so it gives you lots of shade in the sun.

* 그것은 사이즈 5의 여성용 하얀색 나이키 가죽운동화다. 각 짝의 바깥쪽에는 두 개의 파란 줄이 있고 안쪽에는 지퍼가 있다. 그것은 3주 밖에 안 된, 거의 새 거다.

* 그것은 작은 녹색 손가방이다. 그것은 플라스틱으로 만들어져 있어 아주 가볍다. 그것은 파랑과 회색의 체크무늬가 있다. 그것은 긴 줄과 작은 손잡이를 둘 다 가지고 있다. 그래서 당신은 그것을 어깨에 매거나 손에 들고 다닐 수 있다.

* 그것은 하얀 리본이 둘러져 있는 밀짚모자다. 그것은 챙이 넓어서 햇볕에서는 큰 그늘을 만들어 준다.

1. 그 운동화는 사이즈가 몇인가?
2. 안쪽에 뭐가 있나?
3. 그 핸드백은 무엇으로 만들어졌나?
4. 그것은 어떤 무늬를 가지고 있나?
5. 그것은 어떤 부속품을 가지고 있나?
6. 그것은 어떤 종류의 모자인가?
7. 그 모자는 어떤 점이 좋은가?

Task3 Guided Writing

1. three drawers
2. black, a gold frame
3. a striped silk blouse with plastic buttons
4. a round silver tray with two handles
5. a checked wool hat with a black ribbon
6. white leather sneakers with blue strings

1. 세 개의 서랍이 있는 작은 나무 옷장
2. 금색 테를 가진 검정색 선글라스
3. 플라스틱 단추가 달린 줄무늬 실크 블라우스
4. 두 개의 손잡이가 달린 둥근 은쟁반
5. 검정 리본이 있는 체크무늬 모직 모자
6. 파란 색 끈이 있는 하얀 가죽 운동화

Task4 Editing

1. Spider → A spider, pair → pairs, leg → legs
2. It's → Its, body is: 맞음, part → parts
3. It doesn't: 맞음, antenna → antennas
4. it is: 맞음, insect → an insect
5. It's: 맞음, meat-eating animal → a meat-eating animal
6. Spiders: 맞음, have to: 맞음, there skin → their skin
7. They produce: 맞음, silk thread: 맞음, them → it, much ways → many ways
8. nest → a nest, its egg → its eggs, means → a means (means는 단/복수가 같은 단어. -s를 떼면 다른 뜻이 됨)
9. They → There are, species: 맞음, spider → spiders world: 맞음 (species는 단/복수가 같은 단어. -s

---

를 떼면 다른 뜻이 됨)

1. 거미는 네 쌍의 걷는 다리를 가지고 있다. 2. 그것의 몸은 세 부분이 아니라 두 부분으로 나뉘어져 있다. 3. 그것은 안테나를 가지고 있지 않다. 4. 그러므로 그것은 곤충이 아니다. 5. 그것은 육식동물이다. 6. 거미는 자라기 위해 껍질을 벗어야 한다. 7. 그들은 은실을 만들어내고 그것을 여러 가지로 사용한다. 8. 거미줄은 그것의 알을 위한 둥지고 이동하고 사냥하는 수단이다. 9. 세계에는 26,000종의 거미가 있다.

Task5 Sentence Writing

1. It is a medium-sized bag.
2. It is made of brown fabric.
3. It has a small, flowery pattern all over it./There are small flowers all over it.
4. It has two long leather straps.
5. There is a large square pocket in the front./It has a large square pocket in the front.
6. They are plaid blue and white shirts.
7. They have short sleeves and white collars.
8. Each has three small plastic buttons on the front.
9. There are white letters on the back.
10. They go with any kind of pants.
11. This is a round wood table.
12. There is a thick leg in the center.
13. There are fine vertical lines on the leg.

Task6 On Your Own

1. *I like to eat* _____ .
2. I like to wear _____ .
3. I always carry _____ .
4. I like to do _____ in my free time.
5. I usually use _____ .
6. I play the _____ ./I like to listen to _____ music.
7. I mostly think of _____ .
8. I would like to visit _____ .

Bank

음식

쌀, 채소, 샐러드, 수프, 고기, 토스트, 달걀, 시리얼, 우유, 팬케이크, 주스, 소시지, 햄, 베이컨, 스테이크, 피자, 생선, 생수

옷가지

교복, 셔츠, 티셔츠, 와이셔츠, 스웨터, 민소매 상의, 조끼, 블라우스, 치마, 정장(과 넥타이), 코트, 재킷, 잠바, 바지, 슬랙스, 청바지, 반바지, 스포츠용 점퍼, 멜빵바지, (테 없는) 모자, (테 있는) 모자, 벙어리장갑,

장갑, 운동화, 슬리퍼

교통수단

버스, 지하철, 자전거, 택시, 열차, 고속버스, 비행기

나라

프랑스, 스페인, 이탈리아, 영국, 캐나다, 호주, 뉴질랜드, 브라질, 일본, 중국, 인도, 아프리카, 터키, 태국, 필리핀

UNIT 12 사람 · 사물 묘사하기

Writing with Grammar : 형용사와 부사

Task2 Composition

1
1. It is a very interesting storybook.
2. Look at this wonderfully illustrated cover.
3. Many young American children like it.
4. I bought it at an incredibly high price.
5. The author is an intelligent young Korean woman.
6. I'll send it to my good old friend.

2
1. nervous, nervously
2. safely, safe
3. well (well은 '잘'이 아니라 '몸이 좋은'의 형용사, badly '나쁘게' 부사, feel 다음에는 형용사가 와야 함)
4. hard
5. late (lately는 '최근에')
6. happy (find+목적어+형용사 보어)
7. friendly (friendly는 형용사, bravely는 부사)
8. too (enough는 형용사/부사 뒤에 오고 too는 앞에 옴. old enough, too old)

해석

1
1. 그것은 아주 재미있는 이야기책이다.
2. 이 멋진 삽화가 그려진 표지를 봐라.
3. 많은 미국 어린이들이 그걸 좋아한다.
4. 나는 그것을 믿을 수 없을 정도로 비싼 값에 샀다.
5. 그 저자는 지적인 젊은 한국 여성이다.
6. 나는 그것을 나의 좋은 옛 친구에게 보낼 것이다.

2
1. 그는 초조해 보였고, 초조하게 이야기했다.
2. 그는 안전하게 운전했고, 차안에서 난 안전하다고 느꼈다.
3. 나는 오늘 몸이 별로 안 좋다.
4. 바람이 온종일 세게 불었다.
5. 그는 제 시간에 나타나지 않았다. 그는 늦게 나타났다.
6. 나는 그 결혼한 한 쌍이 아주 행복하다는 걸 안다.
7. 그는 아주 다정해 보인다.
8. 그들은 그것을 하기에는 너무 늦었다.

Writing Tasks

Task1 Identifying

Many Scottish believe (there) is a mysterious creature in a swamp called Loch Ness. The scary monster, they say, lives under the dark brown water. Many people tried to capture the monster's image with cameras. In their photos, it (surely) looks like a (very) large animal. However, the pictures are (usually) (too) hazy and blurry. No one can (clearly) see a scary monster in the pictures. (Still) the legend of Nessie the monster goes (on).

해석

많은 스코틀랜드 사람들은 '로크 네스'라고 불리는 늪에 정체불명의 생명체가 있다고 믿는다. 그들이 말하기를, 그 무시무시한 괴물은 짙은 갈색 물 밑에 산다고 한다. 많은 사람들이 그 괴물의 모습을 카메라로 잡으려고 했다. 그들의 사진에는 그것은 분명히 아주 큰 동물처럼 보인다. 그러나 그 사진들은 대부분 너무 뿌옇거나 흐릿하다. 아무도 그 사진들에서 무서운 괴물을 뚜렷하게 볼 수 없다. 그럼에도 괴물 네시의 전설은 계속되고 있다.

Task2 Reading&Writing

1. It is an electronic house appliance.
2. We can find it in the family room of almost every ordinary household.
3. It is an essential part of our daily life.
4. It is a great source of information and fun for viewer.
5. It is an effective tool to advertise their products.
6. It takes family time away. /
   It helps produce many overweight people. /
   It shows too many violent scenes.

해석

그것은 가전제품이다. 거의 모든 일반 가정의 거실에서 볼 수 있다. 그것은 우리의 일상생활에서 필수적인 일부이다. 사용자들에게 그것은 정보와 재미를 많이 주는 것이다. 제조업자들에게 그것은 그들의 제품을 광고하는 효과적인 수단이다. 그러나 그것에 대한 걱정도 있다. 그것은 가족과의 시간을 빼앗는다. 그것은 많은 과체중인 사람들을 만들어내는 데 일조를 한다. 그것은 폭력적인 장면을 너무 많이 보여 준다. 이 모든 단점에도 불구하고 그것은 확실히 많은 심심한 사람들의 좋은 친구이다.

1. 그것은 어떤 종류의 가전제품인가?
2. 그것은 어디에서 볼 수 있는가?
3. 그것은 우리의 일상생활에서 얼마나 중요한가?
4. 그것은 사용자들에게는 무엇인가?
5. 그것은 제조업자들에게는 무엇인가?
6. 그것에 대한 걱정 중 하나는 무엇인가?

Task3 Guided Writing

1. careful
2. get up very early
3. going to eat very slowly
4. is going to be very strong
5. is going to behave very wisely
6. is going to play baseball very well
7. is going to make very many friends
8. is going to wear different clothes every day
9. is going to take everything very seriously
10. is going to get good grades in math

해석

1. 팻은 아주 조심성이 없다. 그는 올해는 아주 조심하려고 한다.
2. 존은 너무 늦게 일어난다. 그는 올해에는 아주 일찍 일어나려고 한다.
3. 케빈은 너무 빨리 먹는다. 그는 올해에는 아주 천천히 먹으려고 한다.
4. 샘은 너무 약하다. 그는 올해에는 아주 튼튼해지려고 한다.
5. 빌은 아주 어리석게 행동한다. 그는 올해에는 아주 현명하게 행동하려고 한다.
6. 사이먼은 야구를 아주 못한다. 그는 올해에는 야구를 아주 잘하려고 한다.
7. 팀은 친구를 거의 못 사귀었다. 그는 올해에는 친구를 아주 많이 사귀려고 한다.
8. 브라이언은 매일 같은 옷을 입고 다닌다. 그는 올해에는 매일 다른 옷을 입으려고 한다.
9. 앤디는 모든 것을 너무 쉽게 생각한다. 그는 올해에는 모든 것을 아주 진지하게 생각하려고 한다.
10. 조는 수학에서 나쁜 점수를 받았다. 그는 올해에는 수학에서 좋은 점수를 받으려고 한다.

Task4 Editing

1. fresh: 맞음, good-kept → well-kept
2. too long: 맞음, enough cool → cool enough
3. much → many, Almost → Almost all
4. heavenly: 맞음, little → few
5. near → nearly, lately → late
6. hungry: 맞음, most → almost
7. hardly → hard, sleepily → sleepy
8. too many → too much, well: 맞음
9. different → differently, hardly: 맞음
10. like → alike, almost same → almost the same
    (same은 항상 the와 같이 쓰임)

해석

1. 그 오렌지들은 신선하다. 그것들은 잘 보관되었다. 2. 그 물은 밖에 너무 오래 나와 있었다. 그것은 충분히 시원하지 않다. 3. 많은 사람들이 있었다. 이제는 거의 모두 가고 없다. 4. 그 쿠키는 천상의 맛이다. 식탁에 쿠키가 얼마 없다. 5. 거의 9시다. 늦어지고 있다. 6. 나는 배고프다. 왜냐하면 거의 아무것도 안 먹었기 때문이다. 7. 엄마는 아침 내내 힘들게 일하셨다. 엄마는 졸립다. 8. 내 동생은 너무 많이 먹어서 몸 상태가 좋지 않다. 9. 소라는 너무 다르게 행동해서 나는 그 애를 거의 알아보지 못했다. 10. 김 씨 쌍둥이는 아주 비슷하다. 그들은 거의 똑같아 보인다.

Task5 Sentence Writing

1. Paul Bunyan was an unbelievably strong logger.
2. He lived in a very small old cottage.
3. He cut down trees very fast and easily.
4. Big strong hungry men helped him.
5. Paul dug the Great Lakes for his thirsty crew.
6. John Henry was an incredibly strong American railroad worker.
7. He did an extremely dangerous job.
8. He drove a long heavy steel rod deep into the mountain.
9. Then this legendary man made a tunnel through a huge rocky mountain.
10. Actually these are not real stories.
11. These two men are American folk heroes in old stories.

Task6 On Your Own

1. *I am* very _____ .
2. I look a little _____ .
3. I want to be a _____ person.
4. My friends think me to be _____ .
5. I live in a(n) _____ neighborhood.
6. I feel _____ before tests.
7. I speak English _____ .
8. I make decisions _____ .

Bank

성격

친절한, 관대한, 수줍어하는, 다정한, 따뜻한, 차가운, 태평한, 조용한, 수줍은, 내성적인, 외향적인(extroverted, outgoing), 소심한, 용감한, 적극적인, 사려깊은, 시끄러운, 말이 많은, 억지가 센, 잘난 척하는, 완고한, 배려하는, 이해심 많은, 도움이 되는, 까다로운(fussy, picky), 검소한, 성질이 급한, 참을성 있는(없는), 조심성 있는

모습

키가 큰, 키가 작은, 평균키의, 몸집이 큰, 작은, 중간 몸집의, 무거운, 마른, 가냘픈, 둥근[각진/긴/피부가 짙은/주근깨 있는] 얼굴의, 젊은, 나이든, 깔끔한, 단정한, 단정하지 못한, 지저분한

결정할 때

빨리, 천천히, 서둘러, 신중하게, 현명하게, 어리석게, 잘, 나쁘게, 즉각적으로, 직관적으로, 본능적으로, 감정적으로, 신속하게, 합리적으로

1   1. Being overweight is becoming a very big problem in the US.

2. About one tenth of Americans are fat.
   (주어 one tenth of Americans는 복수)

3. They eat too much meat and cheese.
   (meat, cheese는 셀 수 없는 명사)

4. They eat about 500 pieces of pizza every second.

5. Soda pop and coffee are the their favorite drinks. (drink는 종류로 복수를 씀)

6. Chocolate and ice cream are the most popular snacks for them.

7. On the other hand, they don't eat much vegetables or fruit.

8. Many of them have serious diseases.
   (disease를 단수로 쓰면 안 됨)

9. Fortunately, many Americans are trying to change their diet these days.

10. It is a good sign for their health.
   (good sign 앞에 a를 빼면 안 됨)

2   1. At first the bicycle was made of wood.
   (the bicycle의 the는 자전거라는 교통수단 전체를 가리키는 역할을 함)

2. It was too big, heavy and slow.

3. It didn't look very comfortable or safe.
   (look 다음에는 형용사 보어)

4. Naturally it was not very popular.

5. Today, the bicycle is a very convenient means of transportation for many people.
   (a를 빼먹으면 안 됨)

6. The wheels are made of rubber and the frame is light but strong.
   (rubber는 셀 수 없는 물질명사)

7. It carries us quickly, safely and comfortably.

8. It is a clean transportation. (a를 빼먹으면 안 됨)

9. It doesn't make the air dirty.
   (dirty는 목적보어로 형용사)

10. Many people ride bicycles for exercise.

11. Every day there are newer, faster, better-looking bicycles produced.
   (bicycle은 한 대만 나오는 것이 아니므로 복수)

12. Now many cities have bicycle trails./ Now there are bicycle trails in many cities. (trail 역시 한 개만 있는 게 아니므로 복수)

UNIT 13 생활문 쓰기 I

Writing with Grammar : 현재완료

Task2 Composition

1   1. have been
2. have used
3. has just arrived
4. has already taken off
5. haven't seen
6. haven't been
7. haven't met
8. hasn't even proposed

2   1. d
2. c
3. b (last year, last night, the other day는 모두 과거형에 쓰는 시간 표현들임)

해석

1   1. 나는 교사다. 나는 지금까지 10년 동안 과학 교사를 해왔다.
2. 이것은 내 새 차다. 나는 1월부터 그것을 써왔다.
3. 나는 공항에 있다. 내 비행기가 막 도착했다.
4. 나는 비행중이다. 내 비행기는 이미 이륙했다.
5. 그는 내게 낯설다. 나는 그를 전에 본 적이 없다.
6. 이것은 나의 최초의 유럽여행이다. 나는 전에 유럽에 간 적이 없다.
7. 나는 아직도 기다리고 있다. 나는 아직 그를 만나지 못했다.
8. 우리는 아직 결혼하지 않았다. 존은 아직 내게 청혼도 하지 않았다.

2   1. 나는 유럽에 [전에/한 번/최근에/자주] 가봤다.
2. 그녀는 [5년간/작년부터 내내/이번 주에/일생 동안] 아팠다.
3. 나는 [오늘/그때 이래로/아직/지난 3일간] 아무것도 안 먹었다.

Writing Tasks

Task1 Identifying

The earthquake was horrible. It hit one of the most crowded areas in the world. Now it's over, but the area hasn't recovered from the shock. It happened two weeks ago. But they haven't found many bodies yet. Most survivors living on the street for the last two horrible weeks. Dozens of countries promised relief aid. But few have put their words into action. Winter is coming, but most victims haven't found places to stay yet.

지진은 끔찍했다. 그것은 세계에서 가장 인구가 밀집된 지역 중 하나를 강타했다. 이제 그것은 가고 없다. 하지만 그 지역은 충격으로부터 아직 벗어나지 못했다. 그것은 2주 전에 일어났다. 하지만 그들은 많은 시체를 아직 찾지 못했다. 대부분의 생존자들은 끔찍한 지난 2주간 길거리에 나와 있다. 수십 개의 나라에서 원조를 약속했다. 그러나 아직 약속을 지킨 곳은 거의 없다. 겨울이 오고 있지만 대부분의 피해자들은 아직 머물 곳을 찾지 못한 상태다.

Task2 Reading&Writing

1. I have been pretty busy.
2. I have become a middle-school student.
3. My family has just moved.
4. No, it hasn't changed completely.
5. There are cars and buildings instead of lakes and trees.
6. No, it hasn't been put in order yet.
7. Yes, I have made some friends already.

해석

그동안 어떻게 지냈니? 나는 패 비빴단다. 6월부터 아주 많은 일들이 있었어. 나는 중학생이 되었어. 이제 나는 시카고의 큰 학교에 다녀. 우리 가족은 막 시카고로 이사했어. 우리 집은 아직도 어질러져 있어. 아직 정리가 안 되었어. 내 물건들의 일부는 갈 데를 아직 못 찾았어. 주변환경은 완전히 달라. 호수와 나무들 대신에 차와 건물들이 있어. 하지만 내 생활은 많이 달라지지 않았어. 나는 벌써 친구를 몇 명 사귀었어. 나는 여기서 살아남을 수 있을 것 같아.

* disorganized 어질러진, surroundings 주변환경

1. 그동안 어떻게 지냈니?
2. 그동안 무슨 일이 있었니?
3. 너의 가족에겐 무슨 일이 있었니?
4. 너의 집 주위에는 무엇이 보이니?
5. 너의 생활은 완전히 바뀌었니?
6. 너의 집은 정리가 되었니?
7. 너는 친구를 좀 사귀었니?

Task3 Guided Writing

1. has been married for seven years
2. She has lived there
3. She won the Pulitzer Prize
4. She has written about women and children
5. She traveled to many countries
6. She hasn't finished it
7. She arrived there
8. She broke her leg
9. She hasn't eaten anything

해석

1. 그녀는 아이가 둘이다. 그녀는 지금 결혼한 지 7년 됐다.
2. 그녀는 플로리다에서 태어났다. 그녀는 그때 이후로 거기서 살고 있다.
3. 이제 세계가 그녀를 알아본다. 그녀는 작년에 퓰리처상을 탔다.
4. 그녀는 소설을 쓴다. 그녀는 지금까지 여자와 아이들에 대해 써왔다.
5. 그녀는 여러 나라에 친구가 있다. 그녀는 이삼십대에 많은 나라를 여행했다.
6. 그녀는 2년 전에 책을 쓰기 시작했다. 그녀는 그것을 아직 끝내지 못했다.

7. 지금 그녀는 뉴욕에 있다. 그녀는 거기에 2주 전에 도착했다.
8. 그녀의 다리는 지금 깁스를 하고 있다. 그녀는 어제 다리가 부러졌다.
9. 지금 그녀는 몹시 배고프다. 그녀는 오늘 아무것도 먹지 않았다.

Task4 Editing

1. is divided → has been divided
2. have had → had
3. are not: 맞음, didn't become → haven't become
4. just started → have just started (과거형도 가능함)
5. is → has been
6. admitted → has admitted/has been admitting
7. operates → has operated/has been operating
8. are → have been
9. didn't see → haven't seen
10. met: 맞음

해석

한국은 분단된 나라다. [1.]그것은 50년 이상 나뉘어져 있다. [2.]남한과 북한은 1950년 피비린내 나는 전쟁을 치렀다. [3.]이제 그들은 적은 아니지만 친구가 된 것도 아니다. [4.]그들은 이제 막 화해하기 시작했다. [5.]지금까지 약간의 진전이 있었다. [6.]1988년부터 북한은 자기의 가장 아름다운 산에 남한 관광객들의 입장을 허락하고 있다. [7.]소수의 남한 회사들은 몇 년째 북한에서 공장을 가동하고 있다. [8.]많은 사람들이 전쟁 이래로 그들의 가족들과 헤어져 있다. [9.]그들은 지난 50년간 서로 만나지 못했다. [10.]최근에 그들은 전쟁 이후 처음으로 만났다.

Task5 Sentence Writing

1. A hurricane hit New Orleans hard last week. (hard는 '세게'라는 뜻의 부사)
2. There have already been three hurricanes only this year. ('올해 지금까지'이므로 현재완료)
3. Hundreds of people have been dead or missing. (지금까지 일어난 일로 현재완료)
4. Tens of thousands (of people) have lost their homes.
5. They have stayed in schools for a week./They have been staying in schools for a week now.
6. They haven't had enough food or water during the days. ('며칠동안'은 for some days, '그 며칠 동안'은 during the days)
7. The water hasn't completely drained yet. ('지금까지 아직'이므로 현재완료)
8. The city has been under water for a week now.
9. The levee hasn't been repaired yet.
10. The police found fifteen more survivors yesterday. ('어제'는 과거)

11. It has been the worst disaster in decades in the US. ('지금까지 몇 십년간'이므로 현재완료)

Task6 On Your Own

1. I have already _____ today.
2. I haven't _____ today.
3. I have made _____ phone calls this week.
4. I have lived in my house for _____ years[months/days].
5. I have known _____ for[since] _____.
6. I have been aborad _____ times. It was in _____ ./I have never been abroad.
7. I have (not) talked to a native speaker. It was in[on/when] _____ .
8. I have used[have been using] my computer since _____ .

Bank

동사 표현
전화를 (몇 통) 걸다, (몇 권의) 책을 읽다, 살다, 알다, 외국에 나가다, 원어민과 이야기하다, 사용하다

한 일/못한 일
숙제하다, 수업[시험/쪽지시험]을 준비하다, (부재중 걸려온) 전화에 답하다, 문자메시지에 답신을 보내다, 학원에 가다

시간의 표현
오늘, 이번 주, 이번 달, 올해, 지난 ~일[달/년] 동안, ~이래로, ~한 적 없다, ~ 번, 이미, 아직

UNIT 14 생활문 쓰기 Ⅱ

Writing with Grammar : 과거완료

Task2 Composition

1
1. lost
2. was cutting
3. was
4. had worked/had been working
5. had not taken
6. needed
7. had been
8. had already had

9. had never had

2
1. d (recently는 현재완료에 쓰임)
2. c
3. d ('for the last…'는 현재완료에 쓰임)
4. b (before는 과거, 현재완료, 과거완료에 모두 쓰일 수 있음)

해석

1 스미스 씨는 공장 노동자다.
1. 그는 작년에 손가락 하나를 잃었다.
2. 그는 사고 당시 철판을 자르고 있었다.
3. 그는 그때 아주 피곤했다.
4. 그때 그는 16시간을 내리 일하고 있었다.
5. 그는 그날 하루가 시작된 이래로 한 번도 쉬지 않았다.
6. 그는 돈이 매우 필요했다.
7. 그의 아내는 그때 5년 간 병원에 있었다.
8. 그녀는 그때 이미 6번의 수술을 받았다.
9. 그는 사고 전 몇 년간 하루도 휴가를 낸 적이 없었다.

2
1. 나는 그녀를 그때까지[그 이전에/한 번] 본 적이 있었다.
2. 나는 파리에 1년간 있었다.
3. 그녀는 [그 전에/그때까지/내가 갔을 때] 그 일의 절반을 끝냈던 참이었다.
4. 그는 전에 그녀를 본 적이 없다[보지 못했다/거의 보지 못했다].

Writing Tasks

Task1 Identifying

The oil spill (was) terrible. The ship <u>was</u> still <u>leaking</u> some oil. It had been aground for ten hours by then. The whole area (was covered) with sticky black oil. It had already killed dozens of birds and hundreds of fish. It had also rained the oyster bed in the area really hard. A tugboat had just connected itself to the ship. The government workers <u>were working</u> hard. They had already set up some oil fences around the spill. Some <u>were spraying</u> chemicals over the spill.

해석

기름 유출사고는 끔찍했다. 그 배는 아직도 약간의 기름을 흘리고 있었다. 그것은 그때 10시간째 좌초되어 있었다. 그 지역 전체가 끈적끈적한 검은 기름으로 덮여 있었다. 그것은 이미 수십 마리의 새와 수백 마리의 물고기를 죽였다. 그것은 그 지역의 굴양식장을 망쳐놓았다. 예인선은 몸체를 그 배에 막 연결해 있었다. 정부에서 보낸 작업자들이 열심히 일하고 있었다. 그들은 이미 유출된 부근에 기름차단막을 설치해 놓았다. 몇몇은 유출된 기름 위에 화학약품을 살포하고 있었다.

1. She had gone to bed very late the night before.
2. She was watching a late night movie.
3. It had been dead for days.
4. The school bus had already left.
5. They had already left for work.
6. She was wearing pajamas.

해석

안녕! 나는 얼마 전 학교에서 큰 볼거리가 되었단다. 그 날 아침 나는 늦잠을 잤어. 나는 그 전날 밤 너무 늦게 잤거든. 새벽 2시까지 심야영화를 봤어. 어쨌든 나는 9시가 훨씬 넘어서야 일어난 거야. 우리 부모님은 이미 출근하고 안 계셨어. 부모님은 나를 위해 자명종 시계를 맞춰 놓으셨어. 하지만 그것은 울리지 않았지. 부모님은 그것이 며칠째 작동 안 한다는 것을 모르셨던 거야. 학교버스는 이미 가고 없었고, 그래서 나는 자전거를 타고 학교에 갔어. 내가 교실로 서둘러 들어갔을 때 모두가 나를 보고 웃었어. 나는 창문 유리창에 비친 내 모습을 보았어. 내가 뭘 보았는지 알아맞혀 봐. 나는 잠옷을 입고 있었어.

1. 그녀는 그 날 왜 늦잠을 잤나?
2. 그녀는 그 전날 밤 늦게까지 뭘 하고 있었나?
3. 그 자명종 시계는 얼마나 오랫동안 죽어 있었나?
4. 왜 그녀는 자전거를 타고 학교에 갔나?
5. 그녀의 부모님은 아침에 어디에 있었나?
6. 왜 그녀의 친구들은 그녀를 보고 웃었나?

Task3 **Guided Writing**

1. He had never been married
2. She had traveled to more than forty countries
3. She had been in thirty big and small movies
4. She was reading the Bible
5. She had barely finished her greatest painting
6. He had just entered university

해석

1. 헌트 씨는 독신이었다. 그는 일생동안 한 번도 결혼하지 않았다.
2. 펄 씨는 여행가였다. 그녀는 죽을 때까지 40개 국 이상을 여행했다.
3. 존스 부인은 배우였다. 그녀는 죽을 때까지 30편의 크고 작은 영화에 출연했다.
4. 그레이스 씨는 일생동안 교회에 다녔다. 죽음의 순간에 그녀는 성경을 읽고 있었다.
5. 줄리는 화가였다. 그녀는 죽을 때 그녀의 가장 뛰어난 작품을 끝내지 못했다.
6. 토머스는 대학생이었다. 그는 사고 당시 막 대학에 입학했었다.

Task4 **Editing**

1. had built → built
2. had been → was
3. 맞음
4. 맞음
5. were looking → had been looking
6. have already tried → had already tried
7. had agreed → agreed
8. had been → was
9. taken → had taken (took도 가능)
10. have done → had done (did도 가능)

해석

[1.]내 친구들과 나는 작년에 멋진 클럽하우스를 만들었다. [2.]처음에는 그것은 지저분한 버스였다. [3.]그것은 거의 1년간 숲에 있었다. [4.]그 당시 우리는 독서 클럽을 막 시작했었다. [5.]우리는 몇 주째 만날 장소를 찾던 참이었다. [6.]우리는 이미 몇 가지 아이디어를 시도해 보았지만 다 별볼일이 없었다. "그것을 우리 클럽하우스로 바꾸면 어떨까?" 하고 소라가 제안했다. [7.]모두가 동의하고 작업을 하기 시작했다. [8.]다 끝났을 때, 그것은 아름다운 밝은 노랑색 집이 되어 있었다. [9.]우리가 그것을 끝내는 데 한 달이 다 걸렸다. [10.]우리 다섯 명은 멋지게 해낸 것이었다.

Task5 **Sentence Writing**

1. She became an actress at the age of nineteen.
2. She was working as a hairdresser then.
3. She had never been out of her town by then.
   (그때까지 있었던 일 — 과거완료)
4. She married a top star when she was twenty-five. (과거)
5. They had hardly dated for months by then./It had hardly been months since they met.(과거완료)
6. Five years later they got divorced.
7. Last year she got her first Oscar.
8. She had been acting for thirty years then.
   (그때까지의 기간이 나왔으므로 과거완료)
9. She had already appeared in about one hundred films by then.
10. However, she had never starred in a movie by then.
11. She was dressed humbly at the ceremony.
12. She had never expected such a glory.
13. Now she has become a world-famous actress.('지금 ~되었다' — 현재완료)
14. For the past year she has had the busiest days in her life. (for the past ~(지난 ~동안)는 현재완료에 쓰는 표현)

Task6 **On Your Own**

1. I had been in elementary[middle/high] school for _____ months[years] by then.
2. I have learned[have been learning] English for _____ years then.
3. I had (never) kept a dairy in English.
4. I had wished to, but I hadn't _____ yet by then.

5. I was wearing _____ that day.

6. I had saved _____ by then.

7. I had expected to get _____ .

8. I met _____ . I hadn't seen him[her/them] once the whole last year.

Bank

바랬지만 못했던 일
~와 화해하다, ~와 친구가 되다, 학교 성적을 올리다, 영어를 잘하다, 몸무게를 줄이다, ~을 시작하다, ~을 끝내다

옷
한복, 정장, 청바지와 셔츠

친척
할아버지, 할머니, (외/친)삼촌, 이모(고모), 사촌, 남자조카, 여자조카

한 일
제사를 지내다, 성묘하다, 세배하다, 카드게임(전통놀이/보드게임)을 하다, 전통음식을 먹다, 이야기하다, 여행하다, 영화 보러 가다, 노래방에서 노래부르다

Extra Writing Practice UNITS 13 & 14

1
1. I bought this car last year.
2. It was a used car.
3. I didn't pay much for it.
4. This car has broken down three times so far.
5. I have spent more than a thousand dollars on it.
6. I have not used it this week.
7. It has been in the garage for a week now. (지금까지 일주일 — 현재완료)
8. I have called the garage three times today. (오늘 세 번 — 현재완료)
9. They haven't finished with it./ It isn't ready yet.
10. It has been the biggest headache for me for the past year.
11. I had never bought a used car before then.
12. I didn't know it had once been badly damaged.

2
1. It was an old warehouse.
2. It had been empty for years. (과거완료)
3. We first went to see it last March. (과거)
4. The doors and windows had already disappeared. (사라지고 없었다 — 과거완료)
5. Only bugs and cats were living there.

6. We needed an indoor basketball court then./We were in need of an indoor basketball court.
7. We asked the city council for a permission to use the place. (과거)
8. There was a basketball match there last week. (과거)
9. Dozens of townspeople came to watch the game. (과거)
10. They found the old warehouse had turned into a great basketball court. (변해 있었다 — 과거완료)
11. There had (already) been several basteball matches by then.
12. It had already become a familiar place to some people. (되어 있었다 — 과거완료)

UNIT 15 진행과정 쓰기

Writing with Grammar : 수동태

Task2 Composition

1
1. The shells of the peanuts are taken off by machines.
2. The peanuts are checked and sorted by workers and machines.
3. Now the peanuts are weighed into large sacks.
4. Then the nuts are made into peanut butter or roasted peanuts.
5. All of us were impressed with the grand size of the factory.

2
1. killed
2. lasted ('지속되다' 자동사 — 수동태로 쓸 수 없음)
3. caused (happen은 자동사)
4. raised (grow up (자라다)은 자동사, grow가 타동사로 '재배하다'로 쓰일 때가 있음)
5. made (remain (남아 있다)은 자동사)
6. got (be동사는 상태, get은 변화나 동작)
7. with (be satisfied with)
8. about (be excited about)

해석

1. 1. 기계가 땅콩 껍질을 벗긴다.
   2. 노동자들과 기계가 땅콩을 확인하고 분류한다.
   3. 이제 그들은 땅콩의 무게를 달아 큰 자루에 담는다.
   4. 그런 다음 그들은 땅콩을 피넛버터나 볶은 땅콩으로 만든다.
   5. 공장의 그 큰 규모가 우리 모두를 놀라게 했다.

2. 1. 그는 차 사고로 죽었다.
   2. 비는 일주일간 계속되었다.
   3. 많은 사고가 안개에 의해 발생한다.
   4. 그는 시골에서 길러졌다.
   5. 그 아이들은 계속 조용히 하게 했다.
   6. 그들은 6월 13일에 결혼했다.
   7. 나는 시험결과에 만족한다.
   8. 모두가 우리의 승리에 흥분해 있다.

Writing Tasks

Task1 Identifying

The clock has a long history. The first clock was a sundial. It was used by ancient civilizations. Then water clocks, burning candles, and hourglasses were introduced. Sometime in the 1300s, the first mechanical clock appeared in Europe. Around the 1600s, the more accurate pendulum clocks were invented. In the 1800s, clocks were greatly improved by electricity. Later in the 1960s, they became more portable with the use of small batteries. Now the world's official time is told by atomic clocks. They are the most accurate of all.

해석

시계는 긴 역사를 가지고 있다. 최초의 시계는 해시계였다. 그것은 고대 문명에 의해 사용되었다. 그 다음 물시계, 양초, 그리고 모래시계가 선보였다. 1300년대 언젠가 최초의 기계시계가 유럽에 등장했다. 1600년대에는 보다 정확한 추시계가 발명되었다. 1800년대에는 시계는 전기에 의해 크게 개선되었다. 1960년대 후반에는 그것들은 작은 건전지를 사용해서 더 이동성이 좋아졌다. 이제 세계의 공식시간은 원자시계에 의해 알려진다. 그것은 모든 시계 중 가장 정확하다.

Task2 Reading&Writing

1. Graphite and clay are mixed into the lead paste.
2. Dye is added for coloring pencils.
3. The paste is squeezed into long thin pieces called leads.
4. They are baked until they are hard.
5. Grooves are carved into wood slices.
6. The pencils are coated with paint in a huge

해석

먼저, 흑연과 점토가 섞여 반죽이 된다. 색연필을 만들기 위해서는 염료가 반죽에 첨가된다. 그 다음 그 반죽은 짜여져 연필심이라고 하는 길고 가는 것이 된다. 그런 다음 그 심들은 단단해질 때까지 구워진다.
이제 나무가 잘리고, 그 잘린 나무에 홈이 파인다. 연필심 하나하나가 그 홈 속에 풀로 붙여지고 또 다른 나무 조각이 그 위에 붙여진다. 그런 다음 그 나무는 별개의 연필로 잘려진다. 마지막으로 연필들은 거대한 회전 프레임에서 페인트가 입혀진다.

1. 어떤 재료들이 섞여서 연필심이 되나?
2. 색연필을 만들기 위해서는 무엇이 추가되나?
3. 다음 단계는 무엇인가?
4. 그 연필심은 어떻게 단단하게 만들어지나?
5. 나무 조각에 무엇이 새겨지나?
6. 그 홈은 무엇을 위한 것인가?
7. 연필 제작에서 마지막 단계는 무엇인가?

Task3 Guided Writing

1. are blended into a soft dough
2. is divided into lumps and loaves
3. are taken to a warm place
4. is baked into bread
5. wrap the bread
6. is taken to the shops

해석

빵은 네 가지 재료, 즉 밀가루, 물, 소금, 그리고 이스트로 만들어진다.
1. 재료들이 고속믹서에서 부드러운 반죽으로 섞인다.
2. 그 반죽은 절단기에 의해 덩어리로 나뉘어진다.
3. 그 덩어리들은 쟁반에 놓여 따뜻한 곳으로 옮겨진다.
4. 그 반죽은 거대한 뜨거운 오븐에서 빵으로 구워진다.
5. 기계가 그 빵을 투명한 비닐종이로 싼다.
6. 마지막으로 그 빵은 트럭에 실려 가게로 보내진다.

Task4 Editing

1. are made by → are made of
2. added to → are added to
3. is cooking → is cooked
4. 맞음
5. are toastted in → are toasted in
6. 맞음
7. 맞음
8. sealed tight → are sealed tight
9. 맞음
10. are putted in → are put in
11. are protected → protect

해석

1. 콘플레이크는 옥수수로 만들어진다. 2. 공장에서 설탕, 소금, 그리고 다른 향미료들이 옥수수에 추가된다. 3. 다음에 그 혼합물은 익혀진다. 4. 무거운 롤러가 옥수수를 눌러 플레이크로 만든다. 5. 그런 다음 그 플레이크는 큰 오븐에서

구워진다. ^{6.}콘플레이크는 이렇게 해서 바삭하게 된다. ^{7.}이제는 채워넣는 기계가 플레이크의 무게를 달아 봉투에 담는다. ^{8.}봉투들은 플레이크를 신선하게 유지시키기 위해 밀봉된다. ^{9.}마지막으로 컨베이어 벨트가 그 봉투들을 상자 속에 넣는다. ^{10.}그 상자들은 큰 하드보드 상자에 담긴다. ^{11.}그 두꺼운 하드보드 상자는 가게로 가는 길에 콘플레이크를 안전하게 보호한다.

Task5 Sentence Writing

1. First, car makers do market research. (능동태)
2. Many designs are drawn by designers. (수동태)
3. The size and shape of the car are decided by engineers. (수동태)
4. Computers are used for the entire process. (수동태)
5. Then engineers make small models by hand. (능동태)
6. At first, the models are made of clay or wood. (수동태)
7. Then the models are made as big as real cars. (수동태)
8. Next, a prototype is built with real materials. (수동태)
9. The prototypes go through various tests. (능동태)
10. They are crashed into walls. (수동태)
11. They are kept in cold and hot rooms. (수동태)
12. Lastly, the cars are produced in large numbers in the factory. (수동태)
13. Many people are involved in the whole process. (수동태)

Task6 On Your Own

생략

Bank

일상생활

머리를 감다, 손을 씻다, 온몸을 씻다, 머리를 자르다, 식사를 하다, 손톱을 자르다, 머리를 염색하다, 방을 청소하다, 침대시트를 교체하다, 휴지통을 비우다, 집을 페인트칠하다, 화초에 물을 주다, 잔디를 깎다, 옷을 사다, 인터넷을 사용하다, 전화를 사용하다, 시험을 보다, 헌혈하다, 친구를 사귀다, 직업을 선택하다, 거짓말하다, 결혼하다

UNIT 16 대화글 쓰기

Writing with Grammar : 의문문

Task2 Composition

1
1. Is your brother tall
2. Does your mother have dark hair
3. Did your entire family live in Spain
4. Has your brother been to Africa
5. Are your friends going to study abroad
6. Does Nancy have to stay

2
1. When did you first meet?
2. Who proposed first?
3. Where did you go for your honeymoon?
4. How long have you been married?
5. How many children do you have?
6. What was the movie about?

3
1. didn't you
2. wasn't it
3. have we
4. is there
5. isn't it

해석

1
1. 너는 키가 커. 네 동생도 키가 크니?
2. 너는 머리가 검어. 너의 어머니도 머리가 검니?
3. 너는 스페인에서 살았어. 너의 가족도 모두 스페인에서 살았니?
4. 넌 아프리카에 가봤어. 너의 동생도 아프리카에 가봤니?
5. 너는 유학려고 하는구나. 너의 친구들도 유학 갈 거니?
6. 너는 머물러야 해. 낸시도 머물러야 하니?

2
1. 당신들은 언제 처음 만났나요? 우리는 2001년에 처음 만났어요.
2. 누가 먼저 청혼했나요? 샘이 먼저 청혼했어요.
3. 신혼여행으로 어디 가셨나요? 신혼여행으로 하와이에 갔어요.
4. 결혼한 지 몇 년 되셨나요? 결혼한 지 5년째 됩니다.
5. 자녀가 몇 명이시죠? 둘입니다.
6. 그 영화는 무엇에 관한 것이었나요? 우정에 관한 것이었습니다.

3
1. 너와 수는 결혼식에 갔었지, 그렇지 않니?
2. 피로연은 멋졌지, 그렇지 않니?
3. 너랑 나는 오랫동안 알지 않았지, 그렇지?
4. 시간이 많이 남지 않았지, 그렇지?
5. 오늘이 네 생일이지, 그렇지 않니?

Task 1 Identifying

1. d 　　2. a 　　3. e
4. b 　　5. c 　　6. f

해석

1. 당신의 모국어는 무엇인가요? - 한국어입니다.
2. 영어를 배운 지 얼마나 되나요? - 7년입니다.
3. 전에 미국에 가 본 적이 있나요? - 예, 딱 한 번이요.
4. 당신 가족 중 누가 영어를 하는 사람이 있나요? - 아니오, 아무도 안 합니다.
5. 미국에서는 어디에 머물고 있나요? - 이모집이에요.
6. 당신은 이모와 한국말을 하지요, 그렇죠? - 네, 그렇습니다.

Task 2 Reading&Writing

1. How long have you been in Kentucky?
2. How do you like it here?
3. When did you write your first book?
4. What are you most interested in?
5. What are you writing about right now?
6. What do you want to tell all of us?

해석

1·저는 켄터키에 일주일간 있었어요. 2·그리고 저는 이곳이 아주 좋아요. 여기는 제 고향과 많이 비슷해요. 3·저는 10학년(고1) 때 첫 책을 썼어요. 그러나 그 책은 출판되지 않았어요. 4·저는 자연과 사람, 그리고 문화에 가장 관심이 많아요. 저는 그런 것들에 대해 항상 써요. 지금 저는 새 책을 쓰고 있어요. 5·그것은 어떤 선원, 선원의 삶에 대해 쓰고 있어요. 6·나는 여러분 학생들 모두에게 말하고 싶어요. "여러분 자신을 알기 위해 노력하세요. 그것이 출발점입니다."라고. 초대해주어서 감사합니다.

Task 3 Guided Writing

1. What did you like best, Sally?
2. Did you do anything yourself?
3. How much money did you make?
4. What are you going to do with the money?
5. What was the campaign about, John?
6. How long have you spoken out about the issue?
7. You are interested in environmental issues, aren't you?

해석

1. 샐리, 뭐가 가장 좋았나요? 벼룩시장이 가장 좋았어요.
2. 뭔가를 직접 했나요? 네, 전 장신구를 팔았어요.
3. 돈을 얼마나 벌었나요? 약 40달러요.
4. 그 돈으로 무엇을 하려고 하나요? 디지털 카메라를 살 거예요.
5. 그 캠페인은 무엇에 관한 것이었나요, 존? 동물의 권리에 관한 거였어요.
6. 얼마나 오래 그 문제에 대해 이야기를 해왔나요? 열 살 때부터요.
7. 환경문제에 관심이 있지요, 그렇죠? 네, 그래요.

Task 4 Editing

1. you use → do you use
2. Is there → Are there
3. use it → use it for
4. used → use
5. Have you → Do you have / Have you had
6. make → makes
7. talk → talk to
8. interested on → interested in on

해석

다음 질문에 답해 주세요.

1. 하루에 컴퓨터를 몇 시간 사용하나요?
2. 여러분의 집에는 컴퓨터 사용에 대한 어떤 규칙이 있나요?
3. 그것을 어디에 사용하나요? 게임, 숙제, 아니면 쇼핑에?
4. 언제 마지막으로 그걸 사용했나요?
5. 컴퓨터를 놓고 부모님과 다투나요? / 다툰 적이 있나요?
6. 무엇이 컴퓨터를 흥미롭게 하나요?
7. 인터넷으로 주로 누구와 이야기하나요?
8. 인터넷에서 무엇이 가장 흥미있나요?

Task 5 Sentence Writing

1. What's your problem? / What seems to be the problem? (실제로는 이렇게 묻는다.)
2. Do you sleep well?
3. Do you exercise regularly?
4. How much do you weigh?
5. Do you eat a lot of vegetables?
6. What do you usually eat for dinner?
7. How many cups of coffee do you drink a day?
8. What did you eat last night?
9. Are you taking any medication?
10. When did the symptoms start? (when은 현재완료에 쓰지 않음)
11. Have you taken any overseas trips recently?
12. How many times have you been to the bathroom today? (오늘이 아직 안 끝났으므로 현재완료를 씀)
13. Do you have any animals at home? / Are there any animals in your home?

Task 6 On Your Own

생략

Bank

a. 취미로 뭘 하니?
b. 친구들과 주로 뭘 하니?

c. 지금까지 몇 나라나 가 봤니?
d. 한국 영화를 본 적이 있니?
e. 너의 일생에 가장 기뻤던 날이 언제였니?
f. 너의 꿈은 무엇이니?
g. 너는 일주일에 돈을 얼마나 쓰니?
h. 네가 직접 돈을 버니?
i. 얼마나 자주 파티에 가니?
j. 파티에서는 무얼 하니?
k. 넌 여자(남자)친구가 있니?
l. 작년 생일에 뭘 선물로 받았니?
m. 100만 달러가 있으면 뭘 할 거니?
n. 너의 학교에 한국 학생이 있니?

Extra Writing Practice UNITS 15 & 16

1
1. A rock rolled down from the mountain onto the road. (roll(구르다) — 자동사: 능동태)
2. A squirrel was passing by.
3. Fortunately the squirrel wasn't hit by the rock. (수동태)
4. But a passing car crashed into the guard rail. (crash(충돌하다) — 자동사: 능동태)
5. The car was damaged badly.
6. But the driver was injured only slightly. (injure(다치게 하다) — 타동사: 수동태)
7. The car was left there for over an hour. (leave(남기다) — 타동사)
8. The road was covered with pieces of glass.
9. At last the police and the ambulance arrived.
10. The driver was carried to the hospital in the ambulance.
11. The car was towed by the police.
12. The rock and the pieces of glass were not cleared from the road until the evening.

2
1. Which continent is the country located in? (전치사 in을 빼면 안 됨)
2. What is the population of the country? (How much ~라고 하면 안 됨)
3. How big is the country?
4. When was the country born? / When did the country begin to exist? / When did the country come into being?
5. What do the people of the country usually do for a living?
6. What language do they speak?
7. Has the country ever been ruled by other countries?
8. By what country was it ruled? /

What country was it ruled by?
9. Have there been any wars?
10. Have you been to this country?
11. What countries is it surrounded by? / By what countries is it surrounded? (수동태) / What countries surround it? (능동태)
12. How long are you going to stay there on this trip?

The Best Preparation for Writing

Features:

1. Grammar-Based Writing
영어 문장 구조를 기본적으로 활용하여 체계적인 작문 기초 스킬을 연마할 수 있도록 구성

2. Step by Step / Integrated Approach
읽고, 쓰고 , 바꿔 보는 과정을 통해 다양한 영어 작문 활동 강조

3. Writing on Various Subjects
다양한 주제의 영어 글쓰기 강조

4. Writing with Various Purposes
다양한 목적의 영어 글쓰기 강조